DAVID SALLE

FUNDACION CAJA DE PENSIONES

DAVID SALLE, 1987

Foto: Marianne Haas

DAVID SALLE

Exposición organizada por la
FUNDACIÓN CAJA DE PENSIONES

27 de septiembre - 13 de noviembre 1988

SALA DE EXPOSICIONES DE LA FUNDACIÓN CAJA DE PENSIONES
Serrano, 60 - 28001 Madrid

CEDENTES

Nancy y E. Rudge Allen
Norman e Irma Braman
Peter M. Brant
Bruno y Christina Bischofberger
Galería Bruno Bischofberger
Galería Mary Boone
Eli y Edythe L. Broad
Ellyn y Saul Dennison
Hugh Freund
First Bank of Minneapolis
Leon Hecht
Michael Kline
Barbara y Richard Lane
Raymond J. Learsy
Robert Lehrman
Jan Eric von Lowenadler
Susan y Lewis Manilow
Joseph McHugh
Adrian y Robert Mnuchin
Robert Pincus-Witten
Nancy Robertson
John Sacchi
Virginia Museum of Fine Arts
David Whitney

y otros coleccionistas privados que han preferido
mantener su nombre en el anonimato.

La Fundación Caja de Pensiones agradece la generosidad de todos
los cedentes, colecciones privadas y galerías, y la colaboración
de las siguientes personas y entidades:

Julia A. Addison
Ascan Crone
Bayerische Staatsgemäldesammlungen München
Galería Bruno Bischofberger
Sarah Breitberg-Semel
Carmen Ceriani
Douglas S. Cramer
Muriel Favaro
Walter Hops
The Menil Collection
Peter Opheim
Kevin Power
Joanna Schultheiss
Carla Schulz-Hoffmann
The Tel Aviv Museum of Art
Africa Vidal
Virginia Wright

y muy especialmente la ayuda inestimable de Mary Boone,
sin cuyo apoyo hubiera sido imposible llevar a término este proyecto.

Exposición itinerante por:

FUNDACIÓN CAJA DE PENSIONES, MADRID
27 de septiembre - 13 de noviembre 1988

BAYERISCHE STAATSGEMÄLDESAMMLUNGEN, MUNICH
diciembre 1988 - enero - 1989

THE TEL AVIV MUSEUM OF ART, TEL AVIV
febrero - abril 1989

INDICE

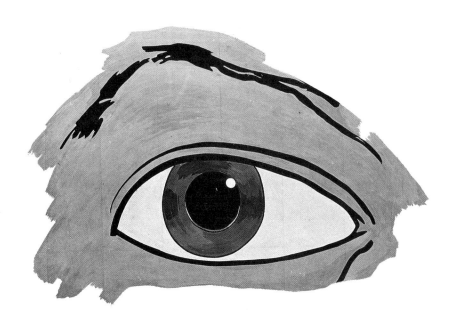

The Fundación Caja de Pensiones opens its 1988-89 exhibitions programme in Madrid with a retrospective show dedicated to the work of David Salle —one of the american artists to have indisputably left his mark on the development of art in the eighties.

As far as Salle is concerned the world is made up of images. The image is the essence of the society in which we live. His works usually refer to the confusion of visual information we carry inside us and, although the images he uses may initially present «reading» difficulties, they are in fact taken from sources that we can all recognise. They seem at first glance to be disconnected, selected almost by chance amongst infinite examples taken from works of art, advertisements, photographs, the world of interior decoration. There is nevertheless one factor that is common to all his work —both the images and the textures and materials used are totally removed from any absolute reality. Thus his colours, applied mostly as overtones across large geometric surfaces, belong to a new kind fo chemistry, to an electronic and notably luminous world with synthetic nuances quite distinct from the colours of nature. They are images taken from a totally artificial world, from a world of reproductions, of frozen narrative sequences, and even the sexual images appear anaesthetized, as if they were visions of a second-hand reality. David Salle not only reflects the things that surround us, but also transforms them into a new art of images that are recognizably his and, at the same time, common property of all of us.

The Fundation Caja de Pensiones wishes to express its thanks to those individuals and institutions who have participated in the elaboration of this exhibition, to the Bayerische Staatsgemaldesammlungen in Munich and the Tel Aviv Museum of Art who will also be showing this exhibition in their own space, for their enthusiastic backing, and very particularly to David Salle for his support and generosity.

La Fundación Caja de Pensiones inaugura la temporada 1988-89 en sus salas de Madrid presentando una exposición retrospectiva de David Salle, uno de los artistas norteamericanos con mayor incidencia en el panorama de la creación artística de los ochenta.

Para Salle el mundo está formado por imágenes, la esencia de la sociedad en que vivimos es la «imagen». Sus obras aluden, generalmente, al empacho de información visual que todos llevamos dentro y, aunque en un principio las imágenes que utiliza puedan parecer ilegibles, realmente han sido tomadas de fuentes que todos podemos reconocer. A primera vista parecen desconectadas, seleccionadas casi al azar entre infinitos ejemplos tomados de obras de arte, del mundo de la decoración, de fotografías, de anuncios publicitarios, etc. Sin embargo hay algo común en toda su obra: tanto esas imágenes, como la textura y materiales utilizados, se apartan de cualquier realidad absoluta. Así, los colores que generalmente aplica como tintes, sobre amplias superficies geométricas, pertenecen a una química nueva, a un mundo electrónico solamente luminoso, con matices sintéticos alejados de la naturaleza. Son figuraciones de un mundo totalmente artificial, de un mundo de reproducciones, de secuencias narrativas congeladas —hasta las imágenes sexuales parecen anestesiadas— como visiones de una realidad de segunda mano. David Salle no sólo refleja las cosas que nos rodean, sino que las transforma en un arte nuevo que reconocemos como suyo y también como propiedad común de todos nosotros.

La Fundación Caja de Pensiones desea expresar su agradecimiento a cuantas personas e instituciones han participado en la exposición, al Bayerische Staatsgemäldesammlungen de Munich y a The Tel Aviv Museum of Art, por su entusiasta adhesión a nuestro proyecto acogiendo sucesivamente esta muestra en sus salas y, muy especialmente, a David Salle por su apoyo y generosidad.

13

FUNDACIÓN CAJA DE PENSIONES

Septiembre 1988

TEXTOS TEORICOS

Kevin Power

Carla Schulz-Hoffmann

THEORETICAL TEXTS

I have always been interested in the kind of character... who is indecise, ambiguous, and irresolute.

Douglas Sirk

Sirk made the most tender films I know, they are the work of a man who loves people and does not despise them as we do.

Fassbinder

El tipo de personaje que siempre me ha interesado... es el indeciso, el ambiguo, el irresoluto.

Douglas Sirk

Sirk hizo los films más tiernos que conozco, son los films de un hombre que quiere a las personas, en lugar de despreciarlas como hacemos nosotros.

Fassbinder

David Salle is an intensely american painter —an intensity that manifests itself not in the sense of excess, expansiveness, rhetorical brashness, or raw energy but rather in the way he registers and reads the world, in his phrasing of experience, and in his pushing of things towards their limits in a dazzling display of calculated tension and control. Salle shuns the overkill and the vacuous pumping up of self. There are no loose ends or emotions in his work, no frivolous draining away of energy. He is a mid-westerner with, as Lisa Liebmann points out in an article in *Artforum*, «a sense of emptiness at the core of being»[1]. It is an observation that is, perhaps, worth taking a little further. Salle undoubtedly has an accute sense of the threatening void, of the smallness of man, and of our vain efforts to impose order upon the world. It is an awareness that hurts, roughs up the edges of sensibility, and occasionally leaves the same kind of jagged cuts and scars on the flesh that one associates with Still's work —a painter whom Salle much admires and who shows a similar kind of gnawing at the nerve-ends and a sim-ilar gouging from within. The Midwest is a landscape of provocative monotony. It teaches both endurance and frustration. It teaches us that what we see does not necessarily tell the truth but it does outline the nature of the complexity. The horizon is finally what the eye can take in with a glance and here the glance is vast enough. Things reflect back and everything ultimately depends on the questions one asks or on the angle of vision. For some the monotony of this landscape has been flatteringly read as wholesome simplicity, a lack of artifice, and a reassuring sameness. James Bryce, writing in the 1870's, leaves us with little doubt concerning its impact «from the point where you leave the Alleghenies at Pittsburgh, until after crossing the Missouri... a railway run of some thousand miles, is a uniformity of landscape greater than could be found in any one hundred miles of railway in Western Europe. Everywhere the same nearly flat country, over which you cannot see far because you are little raised above it, the same thickets of the same bushes along the stream edges, the same solitary farmhouses and struggling wood-built villages. And when one has passed beyond the fields and farmhouses there is an even more unvaried stretch of slightly rolling prairie, smooth and bare, until after six hundred miles the blue outline of the Rocky Mountains rises above the western horizon»[2]. I have no idea as to the exact nature of Salle's reaction to this landscape but I doubt if it shows the same kind of easy benevolence. I suspect rather that he sees it as an off-tone void onto which he can project his own ideas, fantasies, and feelings: dumbly receptive but violently frustrating.

The Prairie belt has always been a cradle of ambitious dreams, of mobile social progress, and of thoughts of the

David Salle es un pintor intensamente americano —intensidad que se manifiesta, no en forma de exceso, expansión, descaro retórico o energía en bruto, sino más bien en su presentación e interpretación del mundo, en su fraseo musical de la experiencia y en su empeño en llevar las cosas hasta el límite mediante un deslumbrante despliegue de tensión y control calculados. Salle evita cualquier exceso y todo vacuo hinchazón del yo. No hay cabos ni emociones sueltas en su obra, ni tampoco pérdida fútil de energía. Es un hombre del Medio-Oeste que tiene, según señala Lisa Liebmann en un artículo en *Artforum*, «una sensación de vacío en el corazón del ser»[1]. Es quizás una observación que vale la pena desarrollar. No hay duda de que Salle tiene un agudo sentido del vacío que nos amenaza, de la insignificancia del hombre y de nuestros vanos esfuerzos por imponer un orden en el mundo. Ser consciente de esto le duele, turba su sensibilidad, y, a veces, le deja el mismo tipo de cortes y cicatrices en la piel que los frecuentemente asociados a la obra de Still —un pintor al que Salle admira profundamente y que también intenta destrozarnos los nervios y desgarrarnos las entrañas. El Medio-Oeste es un paisaje conformado por una monotonía provocativa que nos alecciona tanto en la entereza como en la frustración, y nos demuestra que lo que vemos no es necesariamente la verdad, pero sí nos da una idea de la naturaleza de su complejidad. El horizonte se configura finalmente a base de lo que el ojo es capaz de asimilar de un vistazo, y aquí el «vistazo» es inmenso. Las cosas nos devuelven su reflejo, y, en última instancia, todo depende de las preguntas que se hagan o del ángulo de visión. Así, hay quien interpreta la monotonía de este paisaje con palabras lisonjeras, como una sana sencillez, una falta de artificio y una conformidad tranquilizadora. James Bryce, que escribe en la década de 1870, explicita el impacto de ese panorama: «desde que se abandonan los Alleghenies en Pittsburgh, hasta después de cruzar el Missouri... varios miles de millas recorridas por el ferrocarril, hay una uniformidad mayor en el paisaje que la de cualquier otro trayecto de cien millas de un ferrocarril de Europa Occidental. Siempre es el mismo paisaje casi totalmente llano, e imposible de escudriñar, porque se está casi al mismo nivel que el terreno, hay los mismos matorrales de los mismos arbustos en los bordes del arroyo, las mismas granjas solitarias y los mismos pueblos de madera que durante años han luchado por sobrevivir. Y, una vez se han dejado atrás los campos y las granjas, hay un despliegue aún más monótono de una llanura ligeramente ondulada, suave y desnuda, hasta que, seiscientas millas después, surge en el horizonte del Oeste el perfil de las Montañas Rocosas»[2]. No sé cuál es la reacción de Salle ante este paisaje, pero dudo que muestre la misma benevolencia. Más bien creo que lo ve como un vacío resonante y discorde, en el que puede proyectar sus propias ideas, fantasías y emociones: mudamente receptivo, pero terriblemente frustrante.

La Llanura Central ha sido siempre cuna de ambiciosos sueños, de ágil progreso social y de reflexiones sobre la Gran Epoca. Salle co-

16

Big Time. Salle knows these things first-hand. He has seen ambitions fired by the taste of immediate profits and suffered the price sensibility pays to survive. He has felt them in his bones and recognized that there is a time to move on. He is not, of course, alone in feeling this need to push his horizons beyond the reductive repetitiveness of the landscape and the ensuing narrowness of vision. Sherwood Anderson's hero George Willard did it in the 1920's. Some go West like McClure, Conner, or Salle himself; others East like Gallup or Padgett. All of them move to the edges!

I have, perhaps, laboured this point but I do so because Liebmann draws from this formative experience two central metaphors for Salle's work: «fields» and «screens». They are appropriate images, deftly suggesting surfaces for the imprint of the scanning eye, limiting frames for jarring emotions, or a neutral ground for what is on occasion a cold war! *Field* seems to me useful, especially if understood in terms of physics, as an open, inclusive space that accepts everything that comes into it as a high-energy charge and where things cohere not in any logical or easily explicable way but simply because they emanate from a single person and register themselves with intensity. They come together as a visceral fit, as a temporary harmony or calculated dischord. Screen, however, is an even more powerfully evocative image. It effectively defines the shallow ground onto which Salle projects, at least up until 1985, his layers of images. It is not a «mirror» which would carry resonances of depth, time, and history, but literally a «screen» which registers shallow depths and new perspectival effects. His play with veils or transparencies serves him as a means of both affirming and denying the presence of other images just as his skilful manipulations of changes in scale and pictoric language produce contrapuntal tensions, modifications in tone, passages of development, or sub-themes. The exploitation of these effects leads to the definition not so much of a specific «meaning» as to a condition that is ambiguously and perversely alive. As far as Salle is concerned the surface is a place where the disparate assembles, and this is equally true of those works produced after 1985 where the locking of the elements is orchestrated with a firmer symphonic hand, and everything comes together with a suggestive «click».

noce todo esto de primera mano. Ha visto ambiciones enardecidas al saborear ganancias inmediatas y su sensibilidad ha pagado un precio muy alto por sobrevivir. Lo ha sentido en su propia carne y ha admitido que hay un tiempo para marcharse. Desde luego, no está solo cuando siente esa necesidad de ampliar su horizonte más allá de la limitadora repetitividad del paisaje y de la consiguiente estrechez de miras. El héroe de Sherwood Anderson, George Willard, lo hizo en los años veinte. Algunos se van al Oeste, como McClure, Conner o el propio Salle; otros al Este, como Gallup o Padgett. ¡Todos se dirigen hacia los límites!

Quizás he insistido demasiado en este punto, pero lo hago porque Liebmann crea a partir de esta experiencia formativa dos metáforas que son centrales en la obra de Salle, a saber: los «campos» y las «pantallas». Son imágenes apropiadas que hábilmente sugieren superficies donde deja su huella el ojo inquiridor, que establecen el marco y los límites de las emociones discordantes io que resulta ser terreno neutral para lo que a veces es una guerra fría! *Field (Campo)* me parece útil, sobre todo si se interpreta en términos físicos, como un espacio abierto e inclusivo que acepta todo cuanto entra en él como una carga de alta energía y donde las cosas son coherentes, no de un modo lógico o fácilmente explicable, sino simplemente porque emanan de un solo ser y se presentan con intensidad, apareciendo juntas en forma de acoplamiento visceral, de una armonía temporal o una discordia calculada. No obstante, la pantalla es una imagen aún más evocadora, ya que define eficazmente el fondo superficial sobre el que Salle proyecta, al menos hasta 1985, sus estratos de imágenes. No es un «espejo», que reflejaría ecos de profundidad, tiempo e historia, sino, literalmente, una «pantalla» que registra profundidades superficiales y efectos nuevos de perspectiva. Su juego con velos o transparencias le sirve tanto para afirmar como para negar la presencia de otra imágenes, igual que sus ingeniosas manipulaciones de cambios de escala y de lenguaje pictórico producen tensiones de contrapunto, cambios de tono, pasajes de desarrollo o sub-temas. Aprovechando estos efectos, se llega a la definición, no tanto de un «significado» específico, como de una condición ambigua y perversamente vital. Por lo que respecta a Salle, la superficie es un lugar donde lo dispar se une, y esto es igualmente cierto en relación con las obras creadas después de 1985, en las que el ensamblaje de los elementos está orquestado por una mano sinfónica más firme, de tal forma que todo se une con un sugestivo «click». Se vuelven cada vez

17

These works are becoming more and more brutal, violent, and broken, more and more unreserved in their confrontations with the spectator.

The «screen», then, for Salle is his natural landscape and it becomes known as landscape itself does «through the totality of its forms»[3]. They fit because they occur through some tangent of need, some rhythmical insistence that corresponds to the constantly qualified and qualifying currents that underlie the flow of emotion. Salle is both seer and seen, both the filtering eye and the libidinous voyeur. He looks at the phenomena of the world with ironic, playful, or compassionate glance. He can sense the funnel rim and the sad people who, despite their smiles, scurry and sing across its mouth, fully recognizing that the images he projects lead inevitably to false readings as the spectator hurries to tie up a disturbing sensation into a significant whole. Yet there is no hidden puzzle to unravel, nothing but glimpses of content, emotional currents, shared intuitions:

> But we stray
> we strays, as we always do
> and those mercies always wanted[4]

At one level Salle acts as a surgeon, cold-bloodedly taking his knife to the behavioural patterns of a contemporary consciousness, revealing its coding systems, its defense mechanisms, its reptilian attacks, its gentler moments, its sense of absurdity, and its acid laughter. He is not interested in narrative as such, or, at most, in a simultaneous plural narrativity that permeates and circulates our lives as telling. He is concerned not with linear direction but with digression. He looks both out and in, selecting, pointing a melody, finding an intimate register, scoring a range of feeling, and structuring the nature of what is. It is here that we shall find the keys to his work, irrespective of the particular tone he chooses to adopt —a tone that stretches from sophisticated self-consciousness to lyrical vulnerability, from edgy cynicism to a swirling, permeating sense of loss. Salle knows, as Kenneth Irby does, that we all end up by carrying our landscapes within:

más brutales, fragmentadas y descaradas en sus enfrentamientos con el espectador.

La «pantalla» es, pues, para Salle, su paisaje natural, mostrándose como tal «gracias a la integración de sus formas»[3] —formas que encajan porque surgen como respuesta a una necesidad imperiosa, como iteración rítmica que corresponde a las corrientes constantemente calificadas y calificadoras que subyacen al flujo de la emoción. Salle es tanto observador como observado, tanto ojo filtrante como *voyeur* libidinoso. Ve los fenómenos del mundo con una mirada irónica, juguetona o compasiva. Es capaz de percibir el borde del cráter y sentir la tristeza de la gente que, a pesar de sus sonrisas, se escabulle y canta en la boca del volcán, admitiendo que las imágenes que él proyecta, conducen inevitablemente a interpretaciones falsas en el instante en que el espectador se apresura a transformar de una manera definitiva una sensación molesta en un todo significativo. Pero no hay un puzzle oculto que desembrollar, sólo relámpagos de contenido, corrientes emocionales o intuiciones compartidas:

> Pero nos perdemos
> nos perdemos, como siempre hacemos
> y aquellas dádivas siempre deseadas[4].

Por una parte, Salle hace el papel de cirujano, dirigiendo con sangre fría su bisturí hacia los modelos de comportamiento de la conciencia contemporánea, revelando sus sistemas de códigos, sus mecanismos de defensa, sus fuerzas primitivas, sus momentos más amables, su sentido de lo absurdo y su risa amarga. No le interesa la narrativa en sí; como mucho una narrativa isócrona y plural que impregna nuestras vidas y que las hace fluir como si de un relato se tratase. Salle se preocupa, no ya por la trayectoria lineal, sino por la digresión. Escudriña tanto lo externo como lo interno, seleccionando, destacando una melodía, encontrando una expresión íntima, componiendo una

the small stone picked up
without thinking is everything, the unattended stray
memories,
everything, in the throw of the vision, in the catch
of us in the vision[5]

Music, dance, and film are integral to any understanding of the way Salle brings images together. They provide us with useful comparative measures of the permissions he takes. His work advocates suspended judgements and a predisposition to live at ease amidst uncertainty. It leads not to solutions but to complicated pirouettes —a high-wire act, wilfully exhibitionistic, that has us all gripping the edges of our seats. It encourages multiple readings but settles for none. Peter Schjeldahl, for example, offers the following sophisticated and seductive reading of *Fooling with Your Hair* (1985) as «a kind of personal essay or manifesto, the artist's heart laid bare, that reads like a mathematical equation. Its first term, and first-person singular, is copied from a drawing by Watteau, *The Shoeshine Boy*». In Watteau's original, interestingly, the boy is an amiable but evidently dim-witted urchin. Adapted by Salle as an alter-ego, he takes on the sexual elegance, the haunted worldliness, of a young Pierrot. His mystery is expressed, and explained, by two equated pairs of images: a pair of intensely biomorphic 50s-Italian lighting fixtures and a pair of Giacometti sculptures, the first a noble bust and the second a tragic-faced, big-breasted nude weirdly blends *Angst* and lust. The hyper-artificial lamps and chtonic Giacomettis bracket, between them, an orgiastic universe of variations on the theme of eroticism and visual form. The pure colors marching across the upper panel are like a cadenza of approbation from an orchestra of paint tubes. In three panels of differently tinted grisaille, meanwhile, a Salle model exerts her femaleness even more gruelingly than usual, as if the occasion demanded a peak performance from all concerned —including the viewer, confidently summoned to a relentless carnival»[6]. It is a witty and intelligent take that skates across the surface at a breathless pace. Yet, it remains, at root, a narrative reading, proposing possible holds and turning the images into a playground for interpretation. Alternatively we might try to come to grips with it in terms of a finely balanced set of formal procedures, as a boldly orchestrated work for two hands with the left hand maintaining a solid chiaroscuro rhythm while the right hand moves around above with a mixture of cascading notes and slightly discordant snatches. One thinks of the polished elegance of Cecil Taylor's improvisations, of the total bravura of pulling it off at top speed. The bottom line serves as a melodic pulse, surging up and falling away in grisaille variations that subtly modify the erotic impact of the image. The result is a muted sensuality, a carefully controlled play of light, that moves horizontally across the whole surface of the painting. Time is thus introduced as Salle paces our reading and choreographs our attention. We follow the movements of the dance. The straddled Caravagesque figure, caught up in her sadomasochistic games, leaves us even more uncomfortably unanchored somewhere between a cheap clip-joint and the New York City Ballet, unsure if we are slumming out our rawest feelings or

Cat. No. 8

---

gama de emociones y estructurando la naturaleza de lo que es. Y, precisamente aquí, descubriremos las claves de su obra, con total independencia del tono concreto que decida adoptar —un tono que va desde una sofisticada conciencia de sí mismo hasta una vulnerabilidad lírica, desde un cinismo mordaz hasta una turbulenta y penetrante sensación de vacío. Como Kenneth Irby, Salle sabe que todos acabamos creando paisaje en nuestro interior:

la pequeña piedra que cogemos
sin pensar lo es todo, los olvidados recuerdos dispersos,
todo, en el instante de lanzar la mirada, cuando
quedamos apresados por la visión[5].

La música, la danza y el cine son parte integrante de cualquier intento de entender la manera en que Salle junta las imágenes. Nos proporcionan medidas comparativas útiles de las licencias que utiliza. Su obra defiende juicios en suspenso y una predisposición a vivir a gusto en la incertidumbre. No alcanza soluciones, sino complicadas piruetas —cual trapecista, durante una actuación deliberadamente ostentosa, que nos mantiene a todos en vilo. Salle fomenta la multiplicidad de interpretaciones, pero no se queda con ninguna. Peter Schjeldahl, por ejemplo, ofrece la siguiente sofisticada y seductora lectura de *Fooling with your Hair* (1985): se trata de «una especie de manifiesto personal que revela la esencia íntima del artista, y que puede interpretarse como una ecuación matemática: su primer término, y primera persona del singular, es copia de un dibujo de Watteau, *El Limpiabotas*. Es interesante que en el original de Watteau el chico es un amable, pero evidentemente poco inteligente, pilluelo. Amparado por Salle como un *alter-ego*, adopta la elegancia sexual, la fantasmagórica mundanalidad de un joven Pierrot. Su misterio se expresa, y se explica, mediante dos pares de imágenes que equipara: un par de accesorios de iluminación italianos de los años cincuenta marcadamente biomórficos y un par de esculturas de Giacometti; la primera un grandioso busto y la segunda un desnudo con un rostro trágico y grandes senos en la que furtivamente se mezclan *Angst* y lujuria. Las lámparas hiper-artificiales y los tenebrosos Giacomettis abrazan un universo orgiástico de variaciones sobre el tema del erotismo y la forma visual. Los colores puros que desfilan por el panel superior reflejan el beneplácito que emana de una orquesta de tubos de pintura. Mientras tanto, en tres paneles de grisalla tintada de modos diferentes, una de las modelos de Salle lucha por desplegar su femineidad haciendo un tremendo esfuerzo, como si la ocasión exigiese la mejor actuación de todos los participantes —incluido el espectador, cándidamente invitado a un despiadado carnaval»[6]. Es una toma ingeniosa e inteligente, que se desliza por la superficie a un ritmo que nos deja sin aliento. Sin embargo, en el fondo sigue siendo una interpretación narrativa que propone posibles asideros y que convierte las imágenes en un pasatiempo para la interpretación. Por otro lado, podemos intentar enfrentarnos con ella mediante una serie de procedimientos formales sutilmente equilibrados, como una obra audazmente compuesta para dos manos, manteniendo con la izquierda un insistente ritmo claroscuro mientras que la derecha se mueve por encima mezclando una cascada de notas con fragmentos ligeramente discordantes. Nos recuerda la pulcra elegancia de las improvisaciones de Cecil Taylor y la extraordinaria fuerza que se necesita para llevarlas a feliz término. El panel inferior actúa de impulso melódico,

Cat. n.º 8

19

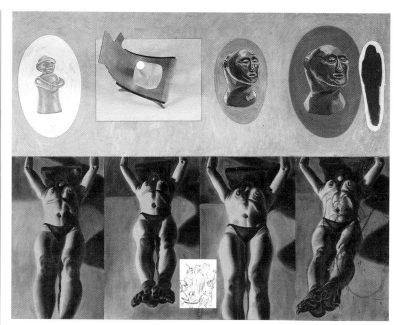

aesthetically transcending them. Not that Salle, in fact, wants to transcend anything —simply to organise and shape! When he asks us to focus it is, almost paradoxically, on what appears to be a wrought-iron garden-chair that forces us off the surface. In one of the wings of the upper panel the male lead appears to be getting ready to launch into his risqué passions. Momentarily vulgar, momentarily noble, he is above all deeply self-conscious. The tonal values of the external panels direct us back down to the lower frieze, but the rhythm has now changed to a violent, brilliant staccato. The chiaroscuro effects are recalled in a shattered fashion in the Giacometti figures that appear almost as kitsch souvenir-shop reproductions. The first of the fifties lamps provides the colour chord for the series of separate panels that flash off from it in harsh, quick, angular phrasings. It is this musical structure, somewhat akin to Coltrane's «sheets of sound», rather than the literal significance of the images, that creates the overall feeling. The chair now almost turns into the protagonist, the addition that slots everything into place. It prohibits separate readings of the two bands since it seems as close to the surface of the work as the images on the top line. It is almost as if the left hand had momentarily crossed over the right and snapped out its own telling phrase.

Cat. No. 13 *Marking through Webern,* although produced two years later, is clearly related to this work. It is a more complex and finely tuned performance but it further underlies the centricity of music and dance as analogous modes for discussing the way he structures his work and the kind of «meanings» it conveys. Indeed I believe that they offer a far more substantial access to the work from 1985 onwards than the more fashionable talk of postmodernist fragmentation that clearly remains so relevant to his earlier work. In this instance the bottom line offers four stark, almost repetitive, phrases of a scantily glad figure in black panties in a foreshortened plunging baroque posture. The second and third phrases are bridged by a small insert of a drawing from the 1920's. These divisions are echoed in the top panel where the wooden board and the blue oval produce similar bridging-effects between first/second and third/fourth. It is a violently reckless and churning sequence. On the extreme right the two friezes are united by a series of direct and fairly brutal

junto a variaciones ascendentes y descendentes que modifican sutilmente el impacto erótico de la imagen. El resultado es una indiferente sensualidad, un juego de luz cuidadosamente controlado, que se mueve horizontalmente por toda la superficie del cuadro. Así, el tiempo se introduce a medida que Salle marca el ritmo de nuestra interpretación y guía nuestra atención, mientras nosotros seguimos los movimientos de la danza. La figura caravaggesca con las piernas abiertas, enfrascada en sus juegos sádo-masoquistas, nos deja aún más incómodamente en el aire, en algún lugar entre un bar de alterne barato y el ballet de la ciudad de Nueva York, sin estar seguros de si estamos dando rienda suelta a nuestros instintos más bajos o si los estamos trascendiendo estéticamente. En realidad, no es que Salle quiera trascender nada —¡simplemente organizar y dar forma!— Y cuando pide que nos fijemos en algo es, casi paradójicamente, en lo que parece ser una silla de jardín forjada en hierro que nos obliga a salir a la superficie. En una de las alas del panel superior, el actor principal parece estar preparándose para lanzarse a sus escabrosas pasiones. A veces vulgar, a veces grandioso, es, sobre todo, profundamente consciente de sí mismo. Los tonos de los paneles exteriores nos conducen a la sección inferior, pero el ritmo ha cambiado, se ha transformado en un violento y brillante *staccato.* Los efectos de claroscuro se vislumbran de modo fragmentario en las figuras de Giacometti, que parecen casi reproducciones kitsch de una tienda de *souvenirs.* De la primera de las lámparas de los años cincuenta emana la gama de colores para las series de paneles separados que reflejan sus destellos en lances despiadados, rápidos y angulosos. Es esta estructura musical, de algún modo afín a las «cascadas de sonido» de Coltrane, más que la significación literal de las imágenes, la que configura la emoción de conjunto. La silla casi se convierte ahora en protagonista, el añadido que hace posible que todo encaje, y que además prohibe interpretaciones separadas de las dos bandas, puesto que parece estar tan cerca de la superficie de la obra como las imágenes de la sección superior. Es casi como si la mano izquierda se hubiese entrecruzado un momento con la derecha para interpretar su propia melodía.

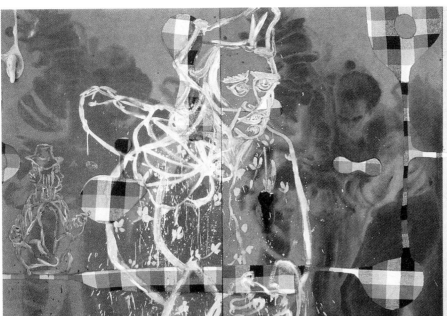

devices that include a superimposed, crudely drawn, and incompleted inset, some loose dripping, and an overwritten figure. This is an aggressive piece, even loud-mouthed, with the phallically pierced chair literally abusing space with the coarsest of everyday comments, and the chunky folk-art ceramics, «pure» americana some might say, doing little or nothing to modify the tone. Sexuality is irremediably bound up with dance, just as it is bound up with the blues. It is the undercurrent and transforming agent to all human situations. It is this condition of dance as sheer presence, total selfawareness, and organized intensity that Salle wishes to bring to his work: the sensation of being one's own reality and not a substitute for something else.

Salle directs us to Webern in the title he chooses for this work and, should we follow his lead, we would turn, perhaps, to the Webern of *Episodes*, or even to Ives of *Ivesiana*, where both the choreographic and the dance rhythm focus, moment by moment, on the concrete impetus of the music. Edwin Denby writes of them in the following terms: «while dance ballets like these are going on, you can recognize, the pattern-game that music and dance are playing. In the music you recognize the classic conventions or, at least, the classic type of noise. In the dance —at least for the most part— you recognize steps and figurations, the classic harmony of motion and grace of behaviour, the drama of solo, pas de deux, and ensemble. Like in a familiar game, you can catch the surprise of a fast play. You catch the sudden image the play leaves. And as you follow the nervy, personal impetus by which each of the dancers is individually creating the composite dance, you begin to sense between dance and music —as if it were a slower and larger image that took time to communicate— the image of a real quality of motion the vitality of which is a secret of art.»[7] In this overall impression of artifice, seduction, manipulation —in short of power— provided by dance that Salle seeks for his own work.

Marking through Webern, a pesar de haber sido orquestada dos años más tarde, está claramente relacionada con esta obra. Es una composición más compleja y sutilmente armonizada que subraya aún más la importancia de la música y la danza como formas análogas de interpretar la forma en que él estructura su obra y el tipo de «significados» que ésta sugiere. En efecto, creo que ofrecen una vía de acceso mucho más pura a las obras de 1985 en adelante que los análisis más en boga sobre la fragmentación posmoderna, que tan relevante es para sus trabajos anteriores. En este ejemplo, la sección inferior ofrece cuatro frases brutales, casi repetitivas, de una figura casi desnuda, con unas bragas negras, hundiéndose en una postura barroca escorzada. La segunda y tercera frases se unen gracias a la inclusión de un pequeño dibujo de los años veinte. Estas divisiones tienen su eco en el panel superior, donde el tablero de madera y el óvalo azul actúan de forma similar como nexos entre la primera y la segunda y la tercera y la cuarta. Es una secuencia irasciblemente temeraria e inquieta. Por el lado derecho, las dos secciones se unen mediante una serie de procedimientos directos y bastante brutales, tales como un encarte, toscamente dibujado e incompleto, un poco de *dripping* y una figura superpuesta. Es una obra agresiva, hasta de algazara, con la silla atravesada de un modo fálico, abusando literalmente del espacio con uno de los comentarios cotidianos más groseros, con la gruesa cerámica popular, «típicamente» americana dirán algunos, haciendo poco o nada por cambiar de tono. La sexualidad está irremediablemente ligada a la danza, igual que está ligada a los *blues*. Es el flujo soterrado y el agente transformador de toda situación humana. Y la condición de la danza como presencia total, como absoluta conciencia de uno mismo y como intensidad organizada, es lo que Salle desea introducir en su obra: la sensación de ser nuestra propia realidad, y no un sustituto de algo.

Salle nos conduce hacia Webern con el título que elige para esta obra, y, en el caso de que nos dejásemos llevar por él, llegaríamos, quizás, al Webern de los *Episodios,* o incluso al Ives de *Ivesiana,* donde tanto el ritmo de la coreografía como el de la danza se centran

Cat. n.º 13

Dance also thematically links *Abandoned Shells* and the *Symphony Concertante* series; the fomer through its use of a photo of Balanchine in rehearsal and the latter through Balanchine's choreographing of a Mozart composition that carries the same name. *Abandoned Shells* is clearly a hommage with its Warholian repetition of the image of Balanchine correcting a dancer. The image appears as a kind of icey x–ray, an insistence that is left behind after one has penetrated the scrawly figure drawing and the optical jumping of the fragments of material. *Symphony Concertante,* however, is something else! Salle sets about choreographing his own score with the same pulsing, coherent, rhythmic figures that were Balanchine's trademark. To quote Denby once again: «Balanchine makes you feel the connection between the dance steps and the stage space... Most choreographers rely on the subject matter of their dances to do this for them. But Balanchine thought of dance as having musical subject matter, which is quite different from a plot. The sequence of steps, the variety of movements, are all related to the music. The musical subject matter of Balanchine's dances is difficult to describe but it can be deeply felt. There is a completeness about Balanchine's dances within that context»[8]. The analogies with Salle's work are evident enough —the emphasis on a musical subject matter rather than a plot, the heightened sense of presence so difficult to pin down, and this sense of being as Salle himself comments of Karole Armitage's works «a fact in the world»[9]. The images Salle so consistently uses are neither autobiographical, nor even obsessive. His attraction to them lies in the fact that they work aesthetically and that he can literally make them change their function by giving them different weight or tone. Salle's mixing of these images is patently american —voraciously eclectic, garishly iconoclastic, fickly brilliant, and uncompromisingly intelligent.

There are two works in the *Symphony Concertante* series, although *Yellow Bread* and *Kelly Bag* also show obvious associations. *Symphony Concertante II* presents an officer with a victorian waxed moustache (a Magritte portrait). He stares out, with a certain smug arrogance, at two «musicians», one nude and the other dressed, both holding musical instruments behind their backs. The officer, in fact, looks through them. He appears caught on a screen, almost as if the two girls were watching television. Behind the officer, just to the right of his head, is a Belocq style photo of a young girl. It is all very kinky and our officer (if he has not dressed specifically for the occasion) finds his pleasures as he may. He is surrounded, if we accept him as the protagonist of the scene and not simply as a flashing image, by the elements of his puzzle. At this point, however, the narrative collapses and other factors take over. We can take the relationship no further and our attention centres on the secondary details. Why are the musical instruments hidden behind the girl's backs? What is the role of the piece of futurist ceramic that keeps on shifting our attention away from the portrait and undermining its importance? Is it simply a matter of echoing yet reversing the colours of the officer's uniform? We find ourselves involved, once again, in those elegant balletic or cinematographic postures of the female figures that speak so eloquently of fear, repulsion, rejection, se-

cada vez más en la impetuosidad lírica de la música. En relación con todo esto, Edwin Denby escribe lo siguiente: «durante la representación de estos ballets, es posible percibir el juego existente entre la música y la danza. En la música se detectan las convenciones clásicas, o, al menos, el tipo clásico de ruido. En la danza —al menos en su mayor parte— se reconocen pasos y esquemas, la armonía clásica del movimiento y la delicadeza del comportamiento, la partitura del solo, del *pas de deux,* y del conjunto. Igual que en un juego que nos es familiar, como el béisbol, captamos la sorpresa que produce la rapidez de las jugadas. Nos damos cuenta de la imagen repentina que el juego deja impresa. Y a medida que seguimos el impulso nervioso y personal mediante el cual cada bailarín crea en solitario la danza del conjunto, se empieza a sentir, entre la danza y la música omo si se tratase de una imagen más lenta que tardó en poder ser transmitida— la imagen de una cualidad real de movimiento, cuyo centro vital es un secreto artístico»[7]. Es esta impresión global de artificio, seducción, manipulación —en resumen, de poder— que la danza ofrece lo que Salle busca para su propia obra.

La danza también une temáticamente *Abandoned Shells* y la serie de *Symphony Concertante;* la primera mediante la utilización de una fotografía de Balanchine ensayando y la segunda gracias a una coreografía de éste para su obra de Mozart que lleva el mismo nombre. *Abandoned Shells* es, evidentemente, un homenaje, con su repetición warholiana de la imagen de Balanchine corrigiendo a una bailarina. Parece una placa de rayos X congelada, impresión que desaparece cuando penetramos en el dibujo de la figura tan sólo esbozada y con el salto óptico de los trozos de material. *Symphony Concertante* es, empero, algo más. Salle crea la coreografía de su propia partitura con las mismas figuras que siguen el compás, coherentes, rítmicas, y que caracterizaron a Balanchine. Citando de nuevo a Denby, podría decirse que «Balanchine nos hace sentir la relación entre los pasos de la danza y el espacio del escenario... La mayoría de coreógrafos se basan en el asunto de sus bailes para hacer esto. Pero, para Balanchine, la danza tiene un tema musical que es bastante diferente del argumento. La secuencia de los pasos, la variedad de movimientos, todo está relacionado con la música. El tema musical de los bailes de Balanchine es difícil de describir, pero lo podemos sentir profundamente; así llegamos a la consumación»[8]. Los paralelismos con la obra de Salle son evidentes —el énfasis en un tema musical más que en un argumento, la importancia del concepto de presencia, tan difícil de precisar, y esta sensación de ser, como el propio Salle comenta a propósito de las obras de Karole Armitage, «un hecho en el mundo»[9]. Las imágenes que Salle emplea de un modo tan consecuente no son ni autobiográficas ni obsesivas; se siente atraído hacia ellas porque operan estéticamente y porque, literalmente, hace que cambien su función al darles una tonalidad o una relevancia diferentes. La forma en que Salle mezcla estas imágenes es, sin duda, americana —vorazmente ecléctica, llamativamente iconoclasta, veleidosamente brillante y absolutamente inteligente.

Hay dos obras en la serie *Symphony Concertante,* aunque *Yellow Bread* y *Kelly Bag* también mantienen relaciones obvias. *Symphony Concertante II,* nos presenta a un oficial con bigote victoriano muy tieso sacado de un retrato de Magritte. Está mirando hacia fuera, con una cierta satisfacción arrogante, a dos «músicas», una desnuda y la otra vestida, con instrumentos musicales sobre la es-

crecy. The dominant tone is one of assurance, of lyrical exhileration, of the odd moment of lechery, and of imperative needs expressed in finely modulated passages. There is an overwhelming passion for elegance that reminds me again of something Denby wrote, not of *Symphony Concertante*, but of Stravinsky's *Danses Concertantes*, also choreographed by Balanchine: «they are like characters in a garden, individuals who communicate, respond, who modify and return without losing their distinctness. The dance is like a conversation in Henry James, as surprising, as forbearing, as full of fancy. The joyousness of it is the pleasure of being civilized, of being what we really are, born into a millenial urban civilization. This is where we are and this is what the mind makes beautiful»[10]. Salle is concerned that, irrespective of the nature of the emotion, whatever the overtones of vulgarity, coldness, or carnality that might accrue to it in the fragmentary process, that the image should be elegantly stated and maintain the classical order of a highly-cultivated style. His world writes itself on many levels. It accepts intuition, improvisation, risk, but submits them to an ultimate control. He shows us, perhaps, that the truth of a human situation, or of a visual order, lies in the itinerary of not being able to find it.

Much the same occurs with *Symphony Concertance 1*, although the accompanying music no longer seems to be that of Mozart but rather Debussy or Ravel. The mood is different and the fragments carry other reverberations. We find ourselves somewhere else, familiar but impossible to define. He is a master-of-ceremonies, a m'aître de cuisine, who organises his world as a language and it is this capacity that finally makes it particular. He plays out problems as solutions, moving casually between the shifting concepts of language, world, and consciousness. Everything in this work is finely balanced, dressed to kill, and giddily self-reflexive.

The fact that Salle should have chosen to collaborate directly with Karole Armitage is, of course, no cause for surprise. Armitage builds her work up in much the same way as Salle with a similar insistence on the mosaic law of parts, the same exploitation of dischord and surprise, and even, possibly the same understanding of the body as the location of human inquiry. This eclectic procedure can be seen, for example, in *The Mollino Room* (1986) which featured Mikhail Baryshnikov dancing to a composition that sandwiched two Hindemith pieces around a Mike Nichols and Elaine May improvised routine called *My Son and Nurse*. It is a decision that echoes Salle's own wilingness to mix cartoon and quotations from Art History. The reference to Carlo Mollino is explanatory and appropriate. Mollino is a seminal figure in the evolution of european modern style and his work is based on the evocative juxtaposition of different period styles. This is precisely the procedure of Salle and Armitage in their respective domains. Eclecticism in the eighties has become a dangerously empty recipe and Salle's work avoids the pitfalls through a series of original formal and structural innovations that creates a situation where the images visually and emotionally need each other.

The European Phrasing of the Late Albert Ayler (1987) for which Salle completed the mammoth task of producing both the costumes and the decor, is even more eclectic. It

Rep. p. 118

Rep. p. 116

palda. De hecho, el oficial mira a través de ellas. Está encerrado en una pantalla, casi como si las dos chicas estuvieran viendo la televisión. Detrás del oficial, justo a la derecha de su cabeza, hay una foto bellocquiana de una joven. Todo es muy perverso, y nuestro oficial (si no se ha vestido para la ocasión) se busca el placer como puede. Está rodeado, si le aceptamos como protagonista de la escena y no únicamente como una imagen intermitente, por las piezas de su puzzle. Sin embargo, llegados a este punto la narrativa se derrumba y otros elementos ocupan su lugar. No podemos llevar más lejos la relación, y nuestra atención se centra en los detalles secundarios. ¿Por qué están escondidos los instrumentos musicales detrás de las chicas, sobre sus espaldas? ¿Qué papel tiene la pieza de cerámica futurista que no deja de desviar nuestra atención del retrato y de minar su importancia? ¿Se trata únicamente de recordar pero invertir los colores del uniforme del oficial? De nuevo, nos vemos inmersos en los elegantes movimientos cinematográficos y de ballet de las figuras femeninas, que tan elocuentes son cuando hablan de miedo, rechazo, sumisión o autoprotección. El tono que prevalece es el de una seguridad absoluta, un regocijo lírico, el extraño momento de lascivia y de necesidades imperantes, en pasajes sutilmente modulados. Hay una irresistible pasión por la elegancia que, una vez más, me recuerda algo que Denby escribió, no a propósito de la *Symphony Concertante*, sino en relación con las *Danses Concertantes* de Strawinsky, cuya coreografía también es obra de Balanchine: «son como personajes en un jardín, individuos que se comunican, que responden, que cambian de situación y vuelven sin haber perdido su claridad. La danza es como una conversación en una novela de Henry James, igual de sorprendente, igual de indulgente, tan llena de fantasía. El regocijo de esta situación es el placer de ser civilizado, de ser lo que realmente somos, hombres y mujeres nacidos en una civilización urbana milenaria. Aquí es donde estamos y esto es lo que la mente convierte en belleza»[10]. A Salle le preocupa que, independientemente de la naturaleza de la emoción, cualesquiera que sean las insinuaciones de vulgaridad, frialdad o carnalidad, que puedan asociarse con ellas en el proceso de fragmentación, se expresen de una forma elegante y que se mantenga el orden clásico con un estilo muy pulido. Su mundo se escribe a muchos niveles. Acepta la intuición, la improvisación, el riesgo, pero los somete a un control final. Quizás indicando que la verdad de una situación humana o de un orden visual está en el hecho de no ser capaz de encontrarla.

Algo muy parecido ocurre con *Symphony Concertante I*, aunque el acompañamiento musical ya no parece ser de Mozart, sino de Debussy y Ravel. El ambiente es distinto y los fragmentos traen consigo otros ecos. Nos encontramos en otro lugar, familiar pero imposible de definir. Es un maestro de ceremonias, un *maître de cuisine*, que organiza su mundo en forma de lenguaje, y es esta capacidad lo que finalmente lo hace peculiar. Encarna los problemas como soluciones, deslizándose fortuitamente entre los inestables conceptos de lenguaje, mundo y conciencia. En esta obra, todo es vertiginosamente auto-reflexivo, todo está delicadamente equilibrado, vestido de punta en blanco.

El hecho de que se haya elegido a Salle para colaborar directamente con Karole Armitage no nos sorprende, desde luego. Armitage construye su obra de una forma muy parecida a Salle, con un énfasis parecido en la ley del mosaico, el mismo aprovechamiento de lo discor-

mixes together music by Webern, Stravinsky and Ayler along with Lord Buckley and Yo-Yo Ma. It is a fairly breathless operation that, perhaps, helps understand why Peter Schjedahl's reaction should be in such purplish prose: «Ayler hits a plateau of harmonious erotic feeling, powerful and free... that I want to call courtly»[11]. Yet what remains immensely important is the push towards synthesis and the clear evidence of the interdependence of the parts. Salle and Armitage seek to structure improvisation and what they find in Ayler is the power of convincing phrasing. Ayler in the seventies was criticised for being structureless. It is a surprising accusation since his music clearly comes off Coltrane and Ornette Coleman! What attracts Salle is, I imagine, Ayler's ability to organise complex statements and to construct spontaneous variations which reflect the contours of the theme. Frank Kofsky effectively describes this procedure for us: «My guess is that Ayler has adopted the technique of spinning out a solo based in a simple theme because this allows him to create a series of sounds of extraordinary force and effectiveness, all the while keeping the overall work relatively direct and comprehensible»[12]. Salle in much the same way knows how to problematize the field or references without losing control.

Denby, whose writings on dance I have quoted on several occasions, was as much a poet as a dance-critic. He tells us that he had been reading a poem where the introduction of *it,* a small modest, unemphatic, and simple *it,* a small modest, unemphatic, and simple *it,* had changed the whole sense of some lines. I suspect that he may well have been talking about John Ashbery's *Pyrography* where the use of *it* somehow fuses easy familiarity and radical ambiguity. Ashbery is a poet who creates tensions at the intersices of language and who wilfully denies the literal surface of meaning. He is the ideal poet for Salle who also sits happily at ease in the sea of ambiguity, piling up images that move smoothly onwards but never fully clarify each other and that evidently prefer contingency to any other kind of relationship. He also knows how to use a modest, apparently insignificant, image to serve as a flash and introduce a disconcerting change in direction. We are left comfortably ill-at-ease. There is the same relaxed permissiveness and perverse inclusiveness that we find in Ashbery's poetry:

But all the fathers returning home
On street cars after a satisfying day at the office undid it:
The climate was still floral and all the wall paper
In a million homes all over the land conspired to hide it.
One day we thought of painted furniture, of how
It just slightly changes everything in the room
And in the yard outside, and how if we were going
To be able to write the history of our time, starting with today
It would be necessary to model all these unimportant details
So as to be able to include them; otherwise the narrative
We would have that flat, sandpapered look the sky gets
Out in the middle west toward the end of summer[13]

Salle, similarly, paints sensations that partially elude him and that he intuitively recognises as being carried in the diverse fragments that make up the work. He is always on the

dante y de la sorpresa y hasta puede que la misma forma de entender el cuerpo como lugar de ubicación de la investigación humana. Se aprecia este procedimiento ecléctico por ejemplo en *The Mollino Room* (1986), donde describía a Mikhail Baryshnikov bailando una composición que intercalaba dos obras de Hindemith en una rutina improvisada de Mike Nichols y Elaine May titulada *My Son & Nurse.* Es una decisión que recuerda la inclinación del propio Salle a mezclar caricaturas con citas de la Historia del Arte. La referencia a Carlo Mollino es aclaratoria y apropiada, ya que es una figura central en la evolución del diseño europeo moderno, y su obra está basada en la evocadora yuxtaposición de diferentes estilos de época. Esta es precisamente la forma de proceder de Salle y Armitage en sus respectivos campos. El eclecticismo de los años ochenta se ha convertido en una receta peligrosamente vacía, y la obra de Salle evita esos peligros utilizando una serie de innovaciones formales y estructurales, que crean un contexto en el que las imágenes se necesitan unas a otras visual y emocionalmente.

Rep. pág. 118

The European Phrasing of the Late Albert Ayler, obra para la que Salle llevó a cabo un esfuerzo titánico, la descomunal tarea de crear tanto los trajes como el decorado, es aún más ecléctica. Mezcla música de Webern, Stravinsky y Ayler con Lord Buckley y Yo-Yo Ma. Es una operación muy rápida y sorprendente que quizás ayude a entender la reacción de Peter Schjedahl, escrita en una prosa un tanto artificiosa: «Ayler alcanza un nivel armonioso del sentido erótico, poderoso y libre... al que me quiero referir con cortesía»[11]. No obstante, lo que sigue siendo tremendamente importante en este momento es el salto hacia la síntesis y la evidencia clara de la interdependencia de las partes. Salle y Armitage buscan estructurar la improvisación, y lo que encuentran en Ayler es la fuerza de una frase convincente. En la década de los setenta, se criticó a Ayler por carecer de estructuras, una acusación sorprendente, puesto que su música surge a partir de Coltrane y Ornetto Coleman. Imagino que lo que atrae a Salle es la capacidad de Ayler para organizar afirmaciones complejas y para construir variaciones espontáneas que reflejen el perfil del tema. Frank Kofsky describe muy bien este procedimiento: «A mi parecer, Ayler ha adoptado la técnica de alargar un solo de tema simple, porque esto le permite crear una serie de sonidos que poseen una extraordinaria fuerza y eficacia, y al mismo tiempo mantener la obra en su conjunto relativamente directa y comprensible»[12]. De forma muy similar, Salle sabe cómo complicar el campo de referencias sin perder el control.

Rep. pág. 116

Denby, de quien he citado en varias ocasiones sus escritos sobre la danza, fue tanto poeta como crítico de danza. Señala que había estado leyendo un poema en el que la introducción de *it (ello),* un modesto, pequeño, no enfático y sencillo *it,* había cambiado por completo el sentido de algunos versos. Creo que igual podríamos haber estado hablando de *Pyrography,* de John Ashbery, donde el empleo de *it* fusiona de algún modo lo familiar y lo ambiguo. Ashbery es un poeta que crea tensiones en los intersticios del lenguaje y que niega deliberadamente la superficie literal del significado. Es el poeta ideal para Salle, que también se siente a gusto en el mar de la ambigüedad, acumulando imágenes que avanzan con suavidad, pero que nunca quedan del todo explicadas, y que, obviamente, prefieren la contingencia a cualquier otro tipo de relación. También sabe cómo usar una imagen modesta, aparentemente insignificante, para que sirva de guía e introduzca un cambio de dirección desconcertante.

point of revealing the secret but there is never a shared dis-course, or, at least, not if we understand by «shared dis-course» a quality susceptible to some clear definition. Salle prefers the shifting sands. The fourth wall to that room Lisa Liebmann talks of is invariably missing. If there is a vision that underlies his work it is the sense that life holds us and is unknowable, and that the fragments that make up our day and present us with an open field of narrative possibilities, speak finally only of themselves. He moves in and out of sensations, feeling them from different perspectives, now hot, now cold, now ample, now intense. He gives us a feel-ing, as Ashbery says with regards to Gertrude Stein, «of a 'plot'», though it would be difficult to say precisely what is going on. Sometimes the story has the logic of a dream... at other times it becomes startlingly clear for a moment, as though a change in the wind had suddenly enabled us to hear a conversation that was taking place some distance away... but usually it is not events which interest, rather it is their way of happening»[14].

Salle is unconcerned with context. He wants that space where we all live —an interchangeable environment that in-cludes his favourite dog, cut-off limbs from Gericault, vaude-ville scenes from Reginald Marsh, eighteenth century car-toons, magazine illustrations, photos, etc. Not that these ele-ments come together loosely, quite the contrary their meet-ings are as precise and careful as a ballroom dance. They need to be where they are, although that need has no expla-nation beyond that of a retinal sensation and a proven intui-tion. He is, however, concerned with spectacle, with what Debord calls that «hyped-up vacuum we live within»[15]. Spectacle, like modern society, is at once unified and di-vided. Like society it builds its unity on disjunction. Salle shows us that all demonstrated division is unitary while all demonstrated unity is divided. He presents the spectacle of a world which really is topsy-turvy, in which the true is a moment of the false. He stages these *truths* for us all the time recognizing that «the basically tautological character of the spectacle flows from the simple fact that its means are simultaneously its ends. It is the sun which never sets over the empire of modern passivity. It covers the entire surface of the world and bathes endlessly in its own glory»[16]. He presents the glamour of sheer image that willingly absorbs our disbelief.

It is John Hawkes who perceptively writes of Salle as living

Se nos deja tranquilamente desasosegados. Hay la misma relajada permisividad y perversa inclusividad que encontramos en la poesía de Ashbery:

> Pero todos los padres, al volver a casa
> En los tranvías, tras un día satisfactorio de
> trabajo en la oficina lo deshicieron
> El clima era todavía floral, y todo el papel pintado
> De un millón de hogares de la tierra conspiraba para ocultarlo
> Un día pensamos en el mobiliario pintado, en cómo
> Lo cambia todo un poco en la habitación
> Y en el patio de afuera, y en cómo, si íbamos
> A ser capaces de escribir la historia de nuestro
> tiempo, empezando por el día de hoy,
> Sería necesario dar forma a todos estos detalles sin importancia
> Con el fin de ser capaces de incluirlos; de otro modo la narrativa
> El cielo se nos presentaría monótono, tan redondo como
> si lo hubiésemos trabajado con papel de lija,
> Como en el Medio-Oeste hacia el final del verano[13]

De un modo similar, Salle pinta sensaciones que le rehuyen parcial-mente, y que, según él mismo intuitivamente reconoce, se encuentran en los diversos fragmentos que componen la obra. Está siempre a punto de revelar el secreto, pero nunca aparece un discurso compar-tido, o, al menos, no lo hay si entendemos por «discurso compartido» una cualidad susceptible de una definición clara. Salle prefiere las arenas movedizas, la cuarta pared siempre ausente de esa habitación de la que habla Lisa Liebmann. Si hay una visión subyacente a su obra, ésta consiste en darse cuenta de que la vida nos abraza, de que somos incapaces de conocerla, y de que los fragmentos que compo-nen nuestra existencia diaria y que presentan un campo abierto de posibilidades narrativas hablan en realidad sólo en primera persona. Salle nada fuera y dentro de las sensaciones, sintiéndolas desde dife-rentes perspectivas, calientes, frías, exuberantes, intensas. Nos hace sentir, como dice Ashbery refiriéndose a Gertrude Stein, «un argu-mento, aunque sería difícil decir exactamente lo que está pasando. A veces la historia tiene la lógica de un sueño... en otras ocasiones es sorprendentemente clara durante un momento, como si la dirección del viento hubiese cambiado y nos hubiese permitido de repente oír

25

within a «landscape of indifferent hunters and vanished lovers», fully aware that «dead passion is the most satisfying»[17]. Salle, in his turn, acknowledges that he is drawn to Hawke's novels, perhaps especially to the way in which he presents us with verbal pictures —insane asylums, arid deserts inhabited by giant snakes, cars streaking towards destruction— that dominate over plot or character. Both artists give pride of place to the image and allow it to organise the dance. Hawkes argues that he is looking for a «totally new and necessary fictional landscape or visionary world» that is «thoroughly, self-consciously fictional, self-contained artifice, tableaux»[18]. Salle also clearly feels the attraction of a private solipsistic underworld. He wants his own world with his own voice, though this is not necessarily an egocentric one. He sets out on an inner migration with an ambivalent destination, knowing that the American fables of redemption are now mere nostalgia. They offer no psychic renewal, «the old theme of the American aspiring to move forward in time and space unencumbered by guilt or reflection in human limitation is certainly unavailable to the guilt-ridden psyche of modern man»[19].

The phrase «dead passion» is an interesting comment on Salle's work that applies both to his attitude towards sexuality and to his sense of the possibilities of contemporary painting. It is a condition that instinctively appeals to Hawkes because it reflects a primary concern of his own novels as he reveals in a conversation about *Blood Oranges* where he observes that his fiction is generally «an evocation of the nightmare of a terroristic universe in which sexuality is destroyed by law, by dictum, by human perversity, by contraption, and it is this destruction of human sexuality which I have attempted to portray and confront in order to be true to human fear and to human ruthlessness, but also in part to evoke its opposite, the moment of freedom from constriction, constraint and death»[20]. At one level Salle does indeed talk about the fraying of psychic health, about the shattering of sexuality into simulation and glossy borrowed rituals, about the fear, awkwardness, and uncertainty that accompany human relationships. Yet, even more significantly, the phrase is appropriate as a revelation of a condition that Salle has won for his work, a consequence of that «emptiness at the core of his being». Salle himself tells us in an observation that applies essentially to his earlier work: «The paintings are dead in the sense that to intuit the meaning of something incompletely, but with an idea of what it might mean or involve to know completely, is a kind of premonition of death. The paintings, in their opacity, signal an ultimate clarification. The paintings do this by appearing to participate in meaninglessness»[21]. He knows that passion found is passion lost, that everything, as we ourselves are, is running through a sieve, and that even what we try to state can never be fully held. But, having said this, neither should we forget that Salle's work are hymns to many possibilities and that with the death of meaning he is left with the power and beauty of images as things in themselves, with the satisfactions of finding for them an appropriate place[22].

Cat. No. 16 *The Wig Shop,* for example, conveys this current of «dead passion». It is suffused with a feeling of love that is breaking apart. The melancholic recognition that something is being

una conversación lejana... pero, por lo general, no son los hechos lo que interesa, sino más bien la forma en que ocurren»[14].

A Salle le preocupa el contexto. Quiere inmiscuirse en ese espacio en el que todos vivimos —un entorno intercambiable que incluye a su perro favorito, miembros amputados de Gericault, escenas de vodevil de Reginald Marsh, caricaturas del siglo XVIII, ilustraciones de revistas, fotos, etc. No es que estos elementos se unan licenciosamente; todo lo contrario, su agrupamiento es tan preciso y cuidado como un baile de salón. Necesitan estar donde están, aunque esa necesidad no tenga más explicación que la de formar una percepción en la retina y la de una intuición probada. Sin embargo, le interesa el espectáculo, lo que Debord denomina «ese vacío artificial e hinchado en el que vivimos»[15]. El espectáculo, como la sociedad moderna, está a un tiempo, unificado y dividido. Como la sociedad construye su unidad sobre la separación. Salle asegura que toda división demostrada es unitaria, mientras que toda unidad demostrada está dividida. Presenta el espectáculo de un mundo que está realmente perturbado y en el que lo verdadero es un instante de lo falso. Pone en escena estas *verdades* reconociendo siempre que «el carácter esencialmente tautológico del espectáculo surge a partir del simple hecho de que los medios de éste son, a la vez, sus fines. Es el sol que nunca se pone sobre el imperio de la pasividad moderna, que cubre la totalidad de la superficie de la tierra y que se baña eternamente en su propia gloria»[16]. Salle presenta el *glamour* de la imagen pura que, deliberadamente, cautiva nuestra incredulidad.

Es John Hawkes quien ve a Salle viviendo en un «paisaje de cazadores indiferentes y amantes desaparecidos», totalmente consciente de que «la pasión muerta es la más satisfactoria»[17]. Por su parte, Salle reconoce que le atraen las novelas de Hawkes, quizá sobre todo por la forma en que nos presenta imágenes verbales —manicomios, áridos desiertos habitados por serpientes gigantes, coches que se dirigen a toda velocidad hacia su propia destrucción— que son centrales tanto en el argumento como en el carácter de la obra. Ambos artistas dan a la imagen un lugar privilegiado y le permiten organizar la danza. Hawkes asegura estar buscando un «paisaje novelesco totalmente nuevo y necesario o un mundo quimérico» que sea «completamente ficticio y consciente de sí mismo, que sea artificio autónomo, *tableaux*»[18]. Salle también se siente intensamente atraído hacia un mundo privado oscuro, subterráneo y solipsista. Desea crear su propio mundo con su propia voz, aunque ésta no es necesariamente egocéntrica. Emprende una migración interna con un destino ambivalente, sabiendo que las fábulas americanas de redención son ahora mera nostalgia, que no ofrecen consuelo psíquico, o que «la psique del hombre moderno es incapaz de utilizar el viejo tema del americano que aspira a avanzar en el tiempo y en el espacio sin las trabas del sentimiento de culpa, o de la reflexión sobre las limitaciones humanas ya, que la primera sí se encuentra acosada por ese sentimiento de culpa»[19].

La expresión «pasión muerta» es un comentario interesante sobre la obra de Salle y se puede aplicar tanto a su actitud hacia la sexualidad como a su interpretación de las posibilidades de la pintura contemporánea. Es una situación que, instintivamente, atrae a Hawkes, porque refleja una preocupación esencial de sus propias novelas, según afirma en una entrevista sobre *Blood Oranges,* en la que señala que su narrativa es por lo general «el recuerdo de una pesadilla evocadora de un universo lleno de terror en el que la sexualidad queda

lost and that all we can do is to remember it, and not even that with any fullness. There is a bitter sweet tone of the nocturne. Salle turns to Solana for both the title and one of the images of his work: *La Peinadora* (1918). He is not particularly interested in Solana's costumbrista world —a world that finds its perfect counterpoint in the descriptions his brother offers of Madrid at the turn of the century: «the old Wig Shops with their cardboard dummies on the balcony and the small rooms that were reserved for the ladies who came to receive massage»[23]. Neither is he interested in Solana's dark spanish expressionism that provides him with such a disturbing individual vision. What matters to Salle is the underlying mood of something having been and now caught in the desperate process of loss. These small rituals of price in the «beauty salon» prefigure their own ends. She is surrounded by busts and models that appear more like decapitated heads. Her gaunt, angular features declare her determination to continue against all odds. Her eyes are lost in reverie. The insertion of the Giacometti bust seems both to catch and mock her thoughts. The right hand panel serves as a literal accompaniment, phrasing the same mood in terms of chiaroscuro or as a sonata. She appears to be tuning the instrument, looking for the appropriate sound. Salle draws our attention to the hands, to the plucking out of emotions. The spectator plays the role of voyeur, learning about himself as he surreptitiously encroaches upon the intimacy of others. But the work as such would remain too pat, too evident as commentary and as forced juxtaposition that struggles for solutions. Salle resolves this excessive dependency by the introduction of an alien element: a found still-life that he incorporates directly into the painting. As a pure visual element it functions perfectly, resuming as it were the tones of the Solana painting and introducing, both optically and psychologically, a tension that gives the work life. Its maudlin sentimentality serves paradoxically as a healthy correction to the general tonic of sticky nostalgia.

Salle would also have recognized in Hawkes a leading practioner in the rhetoric of «anti-realist» fiction —a rhetoric that puts great emphasis on turning conventional literary inducements to the reader into continual challenges to the intellect and emotion. Salle's own works are equally concerned with the introduction of ideas and could be said to live intellectually in terms of their preoccupation with the contrarities of the viewing experience which are so crucial to their enjoyment. They exemplify De Man's assertion that a work exists in the foreknowledge of criticism and that its form is «the result of the prefigurative structure of the foreknowledge and the intent to totality in the interpretative process»[24]. These works demand interpretation and as such specifically introduce the «temporal predicament» in that «to understand something is to realize that one had always known it, but, at the same time, to face the mystery of this hidden knowledge»[25]. His work invites, frustrates, instructs, and shocks the seeking consciousness, and yet continuously announces that it is simply a work, a «fiction». It offered a knowledge which is never complete.

Eroticism is one of the driving forces behind this knowledge. It is part of his way of questioning the world. Numerous critics have identified soft porn as an element within his

27

destrozada por la ley, por el dictamen, por la perversidad humana, por la máquina, es esta destrucción de la sexualidad humana lo que he intentado describir, con el fin de presentar de un modo fidedigno el miedo y la crueldad humanos, pero también en parte para evocar su opuesto, el instante en que nos sentimos libres de toda constricción, de toda coacción y de la muerte»[20]. En algún momento, Salle habla, en efecto, del desgaste de la salud psíquica, de la destrucción de la sexualidad para convertirla en simulacro y en brillantes rituales que tomamos prestados; habla del miedo, la torpeza y la incertidumbre que acompañan a las relaciones humanas. Pero, aún más importante es el hecho de que dicha expresión sea apropiada porque revela una actitud que Salle ha adoptado en su obra, una consecuencia de ese «vacío en el corazón de su ser». El propio Salle nos dice lo siguiente, en un comentario que se puede aplicar sobre todo a su obra más temprana: «Los cuadros están muertos en el sentido de que con ellos se intuye el significado de algo, pero de un modo incompleto, aunque sabiendo lo que podría significar o traer consigo conocerlo del todo, es una especie de premonición de la muerte. Los cuadros, con su opacidad, apuntan una última explicación al dar la impresión de participar en el sinsentido»[21]. Salle sabe que una pasión encontrada es una pasión perdida, que todo, y nosotros también, pasa por la criba, y que incluso aquello que intentamos afirmar nunca llega a asentarse del todo. Pero, dicho esto, no deberíamos olvidar que las obras de Salle son cantos a muchas posibilidades, y que, con la muerte del significado, le quedan la fuerza y la belleza de las imágenes como objetos por sí mismas, le queda la satisfacción de encontrarles un sitio apropiado[22].

En *The Wig Shop,* por ejemplo, encontramos esta «pasión muerta».   Cat. n.º 16
Está impregnada de un sentimiento de amor que se está haciendo trizas. Es el reconocimiento melancólico de que se está perdiendo algo y de que lo único que podemos hacer nosotros es recordarlo, y esto ni siquiera del todo. Está presente el tono agridulce del nocturno. Salle vuelve a Solana, tanto para el título como para una de las imágenes de su obra: *La Peinadora* (1918). No le interesa demasiado el mundo costumbrista de Solana —un mundo que encuentra su perfecto con-

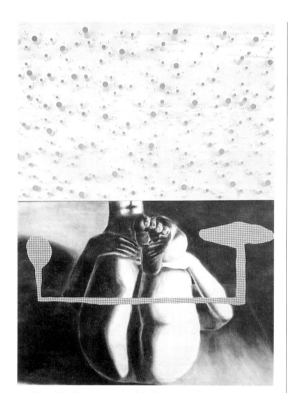

28

work and built up a myth of Salle staggering around with a pile of dirty photos under his arm that he supposedly carried off with him after his page-mounting exploits for a magazine. Yet Salle has, in fact, used very few of these images and hardly any have been on «girlie» themes. Salle has repeatedly told us that he is not particularly interested in pornography. It serves him more as an accompanying drone that sings along with everything else. It would, of course, be equally stupid to deny that these images of attractively proportioned young girls with their legs apart, their buttocks raised, or their panties half-way down their legs are not erotic. They are, although Salle is constantly engaged in modifying their impact and refocusing their charge. He uses a whole series of devices to achieve this end, from his subtle grisaille effect to the affectionately humorous touches in the postures, or from the failure to reveal facial expressions that are, perhaps, the key register of sexual pleasure to the frequent quotations from Art History in the figures he uses. Salle has himself observed that «eroticism is the generation's word for authenticity» and what fascinates him about this view of «authenticity» is the way it focuses on something that becomes more and more distorted the closer you get to it. This perverse exchange of identities between the authentic and the distorted intrigues Salle and allows us to uderstand why he sees eroticism as «an integral part of understanding the aesthetic»[26]. It is a pulse, a perceptual trigger, or in his own words, «it is about *how you know* to single something out»[27]. Salle uses the insets in his pictures in an erotic sense as mirrors of a woman's body. At one level it is a harmiess scatological joke exploiting the bilateral symetry, a sophisticated graffiti of the genitals where he plays with different sized formats from bigger, larger holes to smaller, squarer holes. Yet, at another level, they carry a whole series of metaphysical and metaphorical implications that com-

trapunto en las descripciones que su hermano hace del Madrid del cambio de siglo: «las viejas tiendas de pelucas, con sus maniquíes de cartón en los balcones y las pequeñas habitaciones reservadas para damas que iban a que les dieran masajes»[23]. Tampoco le interesa el oscuro expresionismo español de Solana, que da lugar a una visión individual muy molesta. Lo que le importa a Salle es el estado de ánimo subyacente a algo que ha sido, y que ahora está inmerso en un desesperante proceso de disolución. Estos pequeños rituales de orgullo en el «salón de belleza» anuncian sus propios apocalipsis. La dama está rodeada de bustos y modelos que, en realidad, se asemejan más a cabezas decapitadas. Sus rasgos demacrados y angulosos declaran una firme decisión de continuar sea como sea. Está absorta. La inserción del busto de Giacometti parece captar sus pensamientos y, a la vez, mofarse de ellos. El panel de la derecha sirve, literalmente, de acompañamiento, componiendo un fraseo de la misma atmósfera en términos de claroscuro o como en una sonata. Da la sensación de estar afinando el instrumento, de estar buscando el tono apropiado. Salle dirige nuestra atención hacia las manos, hacia el brutal arranque de las emociones. El espectador juega el papel de *voyeur,* y aprende sobre sí mismo, al tiempo que, subrepticiamente, se inmiscuye en la intimidad de los demás. Pero, en el caso de ser sólo eso, la obra sería demasiado ocurrente, demasiado evidente como comentario y como yuxtaposición forzada que lucha por encontrar soluciones. Salle resuelve esta excesiva dependencia al introducir un elemento ajeno: un bodegón encontrado por casualidad que incorpora directamente al cuadro. Como elemento visual, y sólo como eso, funciona a la perfección, recuperando, por así decirlo, los tonos del cuadro de Solana, e introduciendo, tanto óptica como psicológicamente, una tensión que da vida a la obra. Su sentimentalismo sensiblero sirve, paradójicamente, como justa correción de la tónica general de nostalgia pegajosa.

Salle también habría reconocido en Hawkes a un líder de la retórica de la ficción «anti-realista» —una retórica que pone mucho énfasis en convertir los incentivos literarios convencionales del lector en continuos retos para el intelecto y las emociones. Las propias obras de Salle están igualmente interesadas en la incorporación de ideas, y podría decirse que si viven en el plano intelectual es por su preocupación por las contradicciones que trae consigo la experiencia de ver, tan cruciales para que se pueda disfrutar de ellas. Ejemplifican la afirmación de Man: que una obra existe en la presciencia de la crítica y que su forma «es el resultado de la estructura prefigurativa de la presciencia y del esfuerzo por alcanzar la totalidad en el proceso de interpretación»[24]. Estas obras exigen que se las interprete, y, por tanto, introducen el «predicamento temporal» en el sentido de que «entender algo es darnos cuenta de que siempre lo habíamos sabido, pero, al mismo tiempo, significa tener que enfrentarnos con el misterio de este conocimiento oculto»[25]. Su obra incita, frustra, instruye y sorprende a la conciencia en constante búsqueda, y, sin embargo, anuncia una y otra vez que no es más que una obra, una «ficción», ofreciéndonos un conocimiento que queda siempre inconcluso.

El erotismo es una de las fuerzas subyacentes a este conocimiento. Es parte de su forma de cuestionar el mundo. Muchos críticos han identificado el porno blando como un elemento de su obra, y han construido el mito de un Salle que se tambalea de un lado a otro con un montón de fotos sucias debajo del brazo que probablemente se

plicate Salle's field of references in almost characteristic fashion. The insets can be seden as «windows» with faces peering out at us as we peer through them, or as scenes of the voyeur's gratification. The images, or subjects, of the insets also tend to mirror the body's configuration: the pitchers and vases with their pinched lips; the wrinkled Giacometti heads, etc. They help set up the moods underlying the works Cat. No. 13 from the grinning mockery of the face in *Marking through Webern* to the more theatrical impact of the Magritte torso thrust up against a head of hair framing a woman's face in Cat. No. 15 *Symphony Concertante II*. Salle is, then, both representing the body through images and actualising it through the collocation of the insets. These works establish their own reality and never hang as merely descriptive. They are actual corpored bodies rather than works about bodies. It is here that we have the «real reality» of the painting, revealed appropriately enough through the think skin of paint that is the surface. The insets serve, consequently, to bring the work to life. They literally transform it. Salle notes in a letter that the motivation behind all of this is «to get inside of things, inside the thing, and also to see from outside simultaneously, to be director and directed».

This fairly simple scatological joke is turned into a vehicle for other more complex readings. Salle recognises that the pleasure principle is subversive in the sense that it openly challenges repression[28]. His concentration on the female posterior recalls Norman O. Brown's assertion that the excremental vision constitutes the symbolic essence of modern civilization. Indeed, american civilization remains in a youthful stage and its attention may well be focused on anal eroticism. There is a clear relationship between capitalism and eroticism that Paz has gone as far as calling the «excremental baroque». Salle's focusing on the bottom has its serious side: «as a matter of fact, the ass is sober-sided; the organs of laugther are the same as those of language: the tonge and the lips. When we laugh at our ass —that caricature of our face— we affirm our separation and bring about the total defeat of the pleasure principle. Our face laughs at our ass and thus retraces the dividing line between the body and the spirit»[29]. What Paz has to say in *Conjunctions and Disjunctions,* a text that has been of great interest to Salle, offeres us one way of approaching the constant play in the american painter's works between face and bottome: «psychoanalysis has taught us about the conflict between the face and the ass, the (repressive) reality principle and the (explosive) pleasure principle. I will merely note here that the metaphor that I mentioned, both as it works upward and as it works downward —the ass as a face and the face as an ass— serves each of these principles alternately. At first, the metaphor uncovers a similarity: then, immediately afterward, it covers it up again, either because the first term absorbs the second, or vice versa. In any case, the similarity disappears and the opposition between ass and face reappears, in a form that is now even stronger than before. Here, too, the similarity at first seems unbearable to us —and therefore we either laugh or cry; in the second step, the opposition becomes unbearable— and therefore we either laugh or cry»[30]. Salle shows us that his purpose is, indeed, a serious one and that he has fully understood the import of

llevó después de haber de trabajado en el montaje de la página de una revista. Sin embargo, Salle ha usado, en realidad, muy pocas imágenes de este tipo, y casi ninguna ha sido sobre temas de «chicas». Salle ha repetido hasta la saciedad que no tiene especial interés por la pornografía. Le sirve más de murmullo de acompañamiento que canta junto con todo lo demás. No hay duda de que sería igualmente ridículo decir que estas imágenes de jovencitas bien proporcionadas, con las piernas abiertas, las nalgas levantadas o las bragas medio bajadas, no son eróticas. Lo son, aunque hay que tener muy en cuenta la constante preocupación de Salle por modificar su impacto y dar otro enfoque a su carga emotiva. Para lograrlo, utiliza toda una serie de recursos, desde el sutil empleo del gris hasta los toques afectivamente humorísticos de las posturas, o desde la incapacidad de revelar expresiones faciales que son, quizá, la expresión clave del placer sexual hasta las frecuentes citas de la Historia del Arte en las figuras que utiliza. El propio Salle ha señalado que «*erotismo* es la palabra que esta generación emplea para hablar de autenticidad», y lo que le fascina de esta visión de la «autenticidad» es la forma en que se fija en algo que se distorsiona tanto más cuanto más nos acercamos. Este perverso intercambio de identidades entre lo auténtico y lo distorsionado intriga a Salle, permitiéndonos comprender por qué ve el erotismo como «un componente esencial para entender la estética»[26]. Es un impulso, una catapulta perceptual, o, para decirlo con sus propias palabras. «nos habla de *cómo sabes* elegir algo»[27].

Salle emplea los insertos de sus cuadros en un sentido erótico como espejos del cuerpo de la mujer. Por una parte, es un chiste escatológico inofensivo que explota la simetría bilateral, un sofisticado *graffiti* de los genitales en el que juega con formatos de distintos tamaños, desde agujeros grandes hasta otros más pequeños. Por otro lado, empero, transmiten toda una serie de implicaciones metafísicas y metafóricas que complican el campo de referencias de Salle de un modo muy característico. Los insertos se podrían interpretar como «ventanas» con caras que nos están mirando al tiempo que nosotros miramos a través de ellas, o como escenas de la satisfacción del *voyeur*. Las imágenes o sus encuadres tienden también a reflejar las configuraciones del cuerpo: los cántaros y jarrones con sus labios pellizcados; los arrugados rostros de Giacometti, etc., ayudan a crear la atmósfera de las obras, desde la mueca de la cara de *Marking* Cat. n.º 13 *Through Webern* hasta el impacto más teatral del torso de Magritte lanzado contra una cabellera que sirve de marco a una cara de mujer en *Symphony Concertante II*. Así pues, Salle está tanto representando Cat. n.º 15 el cuerpo mediante imágenes como describiéndolo mediante la colocación de insertos. No obstante, estas obras nunca son meramente descriptivas, sino que configuran su propia realidad. No son obras acerca de cuerpos, sino entidades corpóreas reales, y es aquí donde encontramos la «realidad real» del cuadro, revelada a través de la fina piel del cuadro que es su superficie. Por tanto, los insertos sirven para dar vida a la obra. Literalmente, la transforman. En este sentido. Salle afirma en una carta que el motivo subyacente a todo esto es tratar de «entrar en las cosas, dentro de la cosa, y, al mismo tiempo, observar desde fuera, ser director y dirigido».

Este chiste escatológico tan simple se transforma en vehículo para otras interpretaciones más complejas. Salle reconoce que el principio de placer es subversivo, en el sentido de que se revela abiertamente

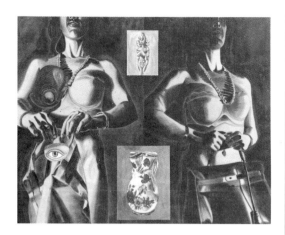

Paz's belief that «the other response to carnal violence is seriousness, impassivity. This is the philosophical response, as the burst of laughter is the mythical response. Seriousness is an attribute os ascetics and libertines»[31].

One of the dominant tones, then, that produces aesthetic satisfaction in his work, is this undercurrent of erotic play that becomes a syntax for dealing with controlled violence, fatuousness, day-dreams or domesticity. *Epaulettes for Walt Kuhn,* for example, is an ironic homage to Kuhn's epauletted majorettes who liven all parades with their swirling canes and tight-fitting military tunics. They show us puritan prurience at its best or worst. Whatever is implicit for Kuhn becomes explicit for Salle: the majorette loses everything but her jacket. She does not become, however, overtly erotic, and neither do the two upside-down proffered bottoms that accompany her. I recall a remark of Salle's in this respect: «there are things in my paintings and there are things in the world and the two things are not the same —even though one might look like the other. Nudes in paintings are not the same as nudes in the world. It is their relationship that is interesting»[32]. Although it is obvious enough that little could survive as healthily erotic after the image of the dead fish (a flemish still-life) that straddles the upper section of the picture. The small insets of the two fifties light fittings and the mule, all favourite Salle images, activate the surface, creating a three-dimensional effect, illuminating the ground, and cancelling out relationships. The images carry sexual symbolical values but Salle makes nothing of them. The «dripping» quote is a piece of calculated artifice that leads to the lower frieze where it finds its echo in the epaulettes. It is almost slapstick but Salle does not mind even a bad joke if it is elengantly told. It is a fairly dark and disturbing picture, but it also leaves us with the impression of Salle smiling from the side-lines as the smoke clears. His work has been attacked by the feminists but, at root, I believe there is nothing anti-feminist about these images. To the contrary I would argue that Salle is fully aware that the way in which we now raise questions of gender and sexuality, subjectivity and enunciation, or voice and performance are unthinkable without the inclusion of the impact of feminist critique.

It is curious to observe how attracted hefeels towards the painters of the post-Depression years —to Kuhn, Soyer, Marsh, or Hopper. What is it that appeals to him about the sentimental scene painting of American low life, of the barb-

Cat. No. 14

30

contra la represión[28]. Su obsesión por el trasero de la mujer recuerda la afirmación de Norman O. Brown: que las imágenes de excrementos son la esencia simbólica de la civilización moderna. En efecto, la civilización americana sigue siendo joven, de ahí que centre su atención en un erotismo anal. Hay una clara relación entre el capitalismo y el erotismo, que Paz ha llegado a denominar el «barroco excrementicio». La atención prestada por Salle a las nalgas tiene su lado serio: «en efecto, el culo es serio; el órgano de la risa es el mismo que el del lenguaje; la lengua y los labios. Al reirnos del culo —esa caricatura de la cara— afirmamos nuestra separación y consumamos la derrota del principio de placer. La cara se rie del culo y, así, traza de nuevo la línea divisoria entre el cuerpo y el espíritu»[29]. Lo que Paz ofrece en *Conjunciones y disyunciones,* un texto que ha interesado mucho a Salle, es una forma de acercarnos al constante juego que aparece en las obras del pintor americano entre la cara y el trasero: «No vale la pena repetir ahora todo lo que el psicoanálisis nos ha enseñado sobre la lucha entre la cara y el culo, el principio de realidad (represivo) y el principio de placer (explosivo). Aquí me limitaré a observar que la metáfora que he mencionado en su forma ascendente y en la descendente: el culo como cara y la cara como culo alternativamente, sirve a uno y otro principio. En un primer momento, la metáfora *descubre* una semejanza; inmediatamente después, la *recubre,* ya sea porque el primer término absorbe al segundo o a la inversa. De una y otra manera, la semejanza se disipa y la oposición entre culo y cara reaparece, reforzada. En el primer momento, la semejanza nos parece insoportable —y por eso reímos o lloramos; en el segundo, la oposición también resulta insoportable —y por eso reímos o lloramos»[30]. Salle nos muestra que su intención es, en efecto, seria y que ha entendido perfectamente el significado de la creencia de Paz en que «la otra respuesta a la violencia carnal es la seriedad, la impasibilidad. Es la respuesta filosófica, como la carcajada es la repuesta mítica. La seriedad es el atributo de los ascetas y los libertinos[31].

Por tanto, uno de los tonos dominantes que produce satisfacción estética en su obra es ese flujo de juego erótico, que se convierte en sintaxis para enfrentarse a la violencia controlada, la fatuidad, los sueños o lo cotidiano. *Epaulettes for Walt Kuhn,* por ejemplo, es un homenaje irónico a las majorettes de Kuhn que animan todos los desfiles con sus juguetonas varitas y ajustados trajes militares. Nos muestran la lascivia puritana en su mejor o peor momento. Todo lo que para Kuhn queda implícito, está implícito en Salle: la majorette lo pierde todo menos la chaqueta. No obstante, no acaba siendo abiertamente erótica, tampoco los otros dos culos al revés que se nos ofrecen sin ningún tipo de tapujo. Recuerdo una observación que Salle hizo en este sentido: «hay cosas en mis cuadros y hay cosas en el mundo y ambas cosas no son la misma —a pesar de que se puedan parecer. Los desnudos de los cuadros no son iguales que los desnudos del mundo. Lo interesante es su relación»[32]. ¡Aunque hay que reconocer que apenas nada es ya erótico tras la imagen del pez muerto, un bodegón flamenco que ocupa todo el panel superior del cuadro! Su obra ha sido atacada por las feministas, pero, en realidad, creo que no hay nada anti-feminista en estas imágenes. Por el contrario, yo diría que Salle es totalmente consciente de que la forma en que ahora nos planteamos cuestiones relativas al género y a la sexualidad, a la subjetividad y al enunciado, o a la voz y a la representación son impensables sin la inclusión del impacto de la crítica feminista.

Cat. n.º 14

er's shop, the cinema, the vaudeville? Does he feel a certain sympathy for the abandonment of european avant-garde experiments and the return to a native American subject-matter? Is there an ironic recognition of these «decent» people in the small towns with their white-fence values holding desperately onto all they have got? Is he touched by their efforts to revive academic tricks? Or are they, as I prefer to think, simply elements of an american patchwork, examples of artists who have tried to capture the particularity of that experience. This is something that certainly matters to Salle: to reveal the nerve not through the meanings of the images but through the way they present themselves, to capture the restlessness, inventiveness, and capriciousness of his time. Glamour, visual extravagance, and style are clearly of major importance to Salle. By style he means something that is both promiscuous and visually elegant. This quality of promiscuity he finds in Pop Art, along with a certain covetousness that denies us access to the mechanics of presentation. Salle is not in the least bit interested in Pop culture but he is interested in design and sophisticated presentational methods, in how and what we choose to communicate. He finds this same elaborately constructed visual world in the work of the directors of the splendid black and white melodramas —Sturges, Fuller, Sirk etc. Sirk's *Imitation of Life,* for example, left a powerful impression of him: «what was compelling was how strange they look, how incredibly beautiful the visual component is! What that implies is a sense of deliberateness to make a visual world— a very strict visual world that is composed of certain very clearly premeditated elements. There is almost always a sense of a very deep space or broad space in a Sirk frame»[33]. It is, in fact, a film about dissatisfaction, flight, the impossibility of escaping our condition, and about the desire to imitate a need for introspection. Sirk has himself acknowledged, and it is an affirmation that recalls Salle, that he is involved with the *melos* of American melodrama, with the musical structure that flows under a story and allows one to express something well beyond narrative possibilities. Both artists use violent images as *counterweight* to sugary excess. The story becomes, then, a pretext, a support on which to hang his fascination with

Los pequeños encartes de los dos accesorios de iluminación de los años cincuenta, el mulo, todas ellas imágenes favoritas de Salle, realzan la superficie, creando un efecto tridimensional, iluminando el fondo, y eliminando las relaciones. Las imágenes traen consigo valores sexuales simbólicos, pero Salle no los utiliza. La cita de *dripping* es una pieza de artificio calculado que lleva al panel inferior, donde encuentra su eco en las charreteras de las majorettes. Es casi grotesco, pero a Salle no le molesta ni siquiera un chiste malo si está contado con elegancia. Es un cuadro bastante oscuro e inquietante, aunque también da la impresión de que Salle está sonriendo desde los laterales a medida que se disipa el humo.

Es curioso observar lo muy atraído que se siente hacia los pintores de los años posteriores a la Depresión —hacia Kuhn, Soyer, Marsh o Hopper. ¿Qué le seduce de los cuadros de escenas sentimentales de la vida de las clases bajas americanas, de la barbería, del cine, del vodevil? ¿Es quizá que siente cierta nostalgia por el abandono de los experimentos europeos de vanguardia y por la vuelta a un tema esencialmente americano? ¿Hay un reconocimiento irónico de estas gentes «decentes» de las ciudades pequeñas, que ensalzan los valores típicos de la pequeña burguesía y que se aferran desesperadamente a todo lo que poseen? ¿Se conmueve ante sus esfuerzos para revitalizar recursos académicos tales como el claroscuro y la perspectiva? ¿O son, según me inclino yo a pensar, simplemente partes de un mosaico americano, ejemplos de artistas que han tratado de captar lo característico de esa experiencia? Esto es algo que, sin duda, le interesa a Salle: revelar la esencia del modo de ser americano, no a través de los significados de las imágenes, sino mediante la forma en que se presentan a sí mismas, captar el desasosiego, la inventativa y el capricho de su época.

Glamour, extravagancia visual y estilo son, evidentemente, elementos esenciales para Salle. Por estilo entiende algo que es a la vez promiscuo y visualmente elegante. Esta promiscuidad la encuentra en el Pop Art, junto a cierta avidez que nos impide el acceso a la mecánica de la representación. A Salle no le interesa en absoluto la cultura Pop, pero sí el diseño, los métodos sofisticados de presentación y cómo y qué

31

man's insincerity or his overwhelming sense of despair. Sirk refers to this film as a «weepie» and draws our attention to the fact that the title magnificently conveys the idea of «looking through a glass darkly». «Everything» he says, «including life is inevitably separated from you. You can neither reach nor touch the real. You see only reflections. If you try to seize hold of happiness itself, your feelings find nothing but the glass. There is no hope»[34]. The melodrama is a genre that attracts Salle precisely because it is larger than life-an artifice to present the most dramatic incidents and emotions of life at one's own pace and with one's own timing.

It hardly needs pointing out that Salle makes use of numerous cinematic devices —the zoom, panning, close-up, splicing, montage, etc. But, perhaps, even more important than all of these is the way he treats the surface and the attention he gives to light and colour. In his interview with Schjedahl he comes succinctly to the point: «the films are almost always shot in a very high key in terms of light and colour. And there is deep space and strong use of verticals in the composition of the picture: these give a sense of the sugary surface of the reality of American life, and the structure of the drama, the text, is the underside of that same world. The way that he was able to make one manifest through the other I thought was quite brilliant and really unparalleled»[35]. Salle similarly makes us complices to sliding surfaces that are alluring and seductive as long as you ask no questions, where the skillful use of simultaneity immediately complicates the image, and where as soon as we begin to unravel the distinct elements we become lost in a maze of questions, and conflicting emotions. *The Burning Bush* is an ironical contemporary twist on the biblical image as a woman looks through her legs at us and busily thrusts her sex into our noses. We cannot really be too sure as to what Salle's own stance is towards the image. Is it sexually agressive or domestically affectionate? In any case he quickly leads our attention towards what seems to be an inexplicable figure of a Prussian officer hurrying off with some stolen (?) clocks, while the smaller repeated figure of the some image, as if from a sequence in a Keystone Cops film, takes us back to the sexual focus by occupying all the neuralgic points. He also, almost as an afterthought, leads us to another nude with her head thrown back over her shoulders. She is relaxed, caught unawares, and has no direct relationship with the viewer. To the right there are two more equally unrelated images but the tone has changed, more meditative and distinctly more poetic. The frieze of circles arches round her, framing her momentarily, while the passage of abstract brushwork stands as yet another metaphor of the «burning bush». We travel across a changing space that is filled with reverberations, qualifying encounters, partial resolutions, and restless confrontations. Salle creates this climate by giving, as he notes of Sirk, a major role to light and colour: warm red, lurid, orange, brilliant white, and hesitant grisaille. As we might expect Salle finds in Sirk the qualities he most cares for —extreme attention to detail, a total control of effects, and highly discrete method of manipulating high-powered emotions. He asks us to consider a series of facets that have obvious connotations with his own work: «there is

Cat. No. 2

32

elegimos comunicar. Descubre este mismo mundo visual cuidadosamente construido en la obra de directores de espléndidos melodramas en blanco y negro —Sturges, Fuller, Sirk, etc. Por ejemplo, la *Imitación de la vida* de Sirk le impresionó mucho: «lo irresistible era lo extraños que parecían, ¡lo increíblemente hermoso que es el componente visual! Lo que eso implica es una intención deliberada de crear un mundo visual muy estricto formado por elementos claramente premeditados. Casi siempre percibimos un espacio muy profundo o ancho en un fotograma de Sirk»[33]. Es, en efecto, una película sobre la falta de satisfacción, la fuga, la imposibilidad de escapar de nuestra condición y el deseo de fingir una necesidad para la introspección. El propio Sirk ha reconocido, y es una afirmación que recuerda a Salle que está relacionado con el *melos* del melodrama americano, con la estructura musical subyacente a la historia y que nos permite expresar algo que está mucho más allá de las posibilidades narrativas, y ambos artistas recurren a imágenes violentas como contrapeso a cualquier exceso almibarado. La historia se convierte entonces en un pretexto, un soporte donde colgar su fascinación por la falta de sinceridad del hombre o su terrible sensación de desesperación. Sirk se refiere a esta película con el calificativo de «llorona», y dirige nuestra atención al hecho de que el título connota magníficamente la idea de «mirar por un espejo inmersos en la oscuridad». «Todo», dice, «incluida la vida, está inevitablemente separado de ti. Nunca puedes alcanzar ni tocar lo real. Sólo ves reflejos. Si intentas asir la felicidad, lo único que encontrarán tus sentimientos será el espejo. No hay esperanza»[34]. El melodrama le atrae como género precisamente porque es más amplio que la vida misma, un artificio para representar los incidentes y emociones más dramáticos, eligiendo a la vez el ritmo y el *tempo*.

Huelga decir que Salle emplea muchos recursos cinematográficos —el zoom, tomas de vistas panorámicas, close-up, encolados, montajes, etc. Pero quizá más importantes son las formas de tratar la superficie y la atención que presta a la luz y al color. En su entrevista con Schjedahl hace referencia a esto: «las peliculas siempre se filman en un tono muy alto en lo que a la luz y al color se refiere. Y hay un espacio profundo y un uso frecuente de las verticales en la composición del cuadro: éstas recuerdan la superficie dulzona de la realidad de la vida americana, y la estructura del drama, el texto, es el lado oculto de ese mismo mundo. Creo que la manera en que expresó uno a través del otro fue muy brillante y realmente sin precedentes»[35]. De igual modo, Salle nos hace cómplices de unas superficies móviles que son atractivas y seductoras mientras no hagamos preguntas, donde el hábil uso de la simultaneidad complica inmediatamente la imagen, y, donde tan pronto como empezamos a desenmarañar los distintos elementos, nos perdemos en un laberinto de preguntas y emociones en conflicto. *The Burning Bush* es un viraje irónico contemporáneo de la imagen bíblica: una mujer nos mira a través de sus piernas y, afanosamente, nos pone su sexo delante de las narices. No se puede estar muy seguro de cuál es en realidad la postura del propio Salle ante la imagen. ¿Es agresiva desde el punto de vista sexual y emotiva desde el punto de vista doméstico? Sea como fuere, Salle dirige rápidamente nuestra atención hacia lo que parece ser la inexplicable figura de un oficial prusiano huyendo con unos cuantos relojes robados (?), aunque la figura más pequeña repetida, que parece salida de una secuencia de una película de Keystone Cops, nos devuelve al

Cat. n.º 2

an extreme edge to the costuming, lighting, coloration of the set— the use of artifice that I am sure by viewers at the time was not noticed and was not intended to be noticed. It struck me as exemplary —an exemplary degree of self-consciousness and control— visual control on the part of the artist in calling your attention to how he felt about the subject matter without there being any apparent intrusion of interpretive morality into the context. There are also a number of black-and-white films, and perhaps in the black-and-white films the extent to which Sirk was visually poetic is even more apparent in the use of light and shadow and composition to give meaning to certain elements of the drama of the text. I think these are the kinds of things that are very important in my work and are similarly not noticed, or at least are not recognized or felt... That is to say that what I would consider the artfulness of things in some cases is really invisible, or it becomes visible in a particular and unusually slow way»[36]. Salle's own particular form of «artfulness» includes showing us a new way of scanning images through intense organization and control right down to the last retinal flicker. Responsibility here literally means answering for the world he creates. He is director, actor, spectator without ever asserting his presence. In one sense it is american «entertainment» at its best in terms of its scale, ambition, and rhythm, yet, at the same time, it has all the lightness, elegance, and structuring will for order of eighteenth century French Art. Are Salle's women contemporary readings of Boucher or Fragonard where the body itself, rather than imaginative titillation, is the scene of action and the vehicle for a more complex communication? This is, I insist, a deeply American work in its constant struggle to outdo itself, to see if it can get away with just one more move.

In his more recent work Poulenc has given way to Mahler but even in these moments of extravagant hedonism one senses the overriding presence of the guardian eye, the hungry glance, and the flexed muscle. For a consciousness, such as Salle's, that informs itself in all directions, everything becomes problematic and inconsequential. Aesthetic order represents the intellect's struggle to survive, its effort to impose something durable against an increasingly broad flood of simultaneous inconsequences, while continuing to recognize their validity. Salle's image of a light-bulb is a convex mirror. It deals with nature, surfaces, interiors, the eye, or relationships between art and life. It indulges in distortion. Salle collects these distorted reflections of a world that has no stable centre. He allows things to haphazardly accumulate but insists that they find their place. His works are meditations on their making.

Salle might be called a «classical postmodernist». He is classical in his rage for order and postmodern in the way he questions centralized, totalized, hierarchized, closed systems. He questions but he does not destroy since his work is finally about selection and interreference. He listens, watches, and registers the world ex-centrically, off-centre, off-tone. He acknowledges the human urge to make order, while pointing out that the orders we create are just that: human constructs, not natural or given entities. He requires a visually sophisticated audience, ludically disposed —an audience that can recognize Ribera's club-footed urchin, a

foco sexual, que ocupa todos los puntos neurálgicos del cuadro. Casi como una idea añadida al final, también nos hace retroceder hacia otro desnudo que tiene la cabeza echada hacia atrás sobre los hombros. Está relajada, se la ha captado sin que ella se dé cuenta y no tiene relación directa alguna con el espectador. A la derecha, hay dos imágenes más que tampoco están relacionadas entre sí, pero el tono ha cambiado, es más reflexivo y mucho más poético. El panel de círculos forma un arco a su alrededor, la enmarca momentáneamente, mientras la pincelada abstracta resulta ser otra metáfora del «arbusto ardiendo». Viajamos a través de un espacio cambiante lleno de reverberaciones, encuentros metamórficos, soluciones parciales y confrontaciones desazonadas. Salle crea este clima al dar, según dice refiriéndose a Sirk, un papel principal a la luz y al color: rojo cálido, naranja chillón, blanco brillante y gris incierto.

Como era de esperar, Salle encuentra en Sirk las cualidades que más le interesan —extremada atención al detalle, control absoluto de los efectos y una manera muy discreta de manipular las emociones fuertes. Nos pide que tengamos en cuenta una serie de facetas que tienen que ver, obviamente, con su propia obra: «el vestuario, la iluminación, el colorido del conjunto están en tensión, empujados hasta el límite —estoy seguro de que los espectadores no notaron en ese momento el uso del artificio, que además no debía notarse. Me impresionó por ejemplo— un grado ejemplar de conciencia y control de sí mismo —el control visual del artista al llamarnos la atención sobre cómo se sentía él respecto al tema, sin que aparentemente existiese ninguna intrusión en el contexto de la moralidad interpretativa. También hay una serie de películas en blanco y negro, en las que quizá queda aún más claro hasta qué extremo Sirk era poético desde el punto de vista visual, por el uso de luces y sombras y composición para conferir significado a ciertos elementos de la fuerza dramática del texto. Creo que éstas son las cosas realmente importantes en mi trabajo, y, en cambio, no se las pone de relieve, o, al menos, no se las reconoce ni se las siente... Es decir, que lo que yo consideraría el ingenio de las cosas es, en algunos casos, realmente invisible, o se hace visible de una manera peculiar y extraordinariamente lenta»[36]. La propia forma de «ingenio» de Salle también nos muestra una manera nueva de analizar las imágenes empezando por una intensa organización y un control hasta el último parpadeo de la retina. Responsabilidad significa aquí, literalmente, responder al mundo que él crea. Es director, actor, espectador, sin afirmar nunca su presencia. En cierto sentido, es un «espectáculo» americano en su mejor momento, desde el punto de vista de la escala, la ambición y el ritmo; no obstante, al mismo tiempo posee toda la ligereza, elegancia y deseo de orden del arte francés del siglo XVIII. ¿Las mujeres de Salle son interpretaciones contemporáneas de Boucher o Fragonard en las que el propio cuerpo, y no únicamente una imaginaria excitación, es la escena de la acción y el vehículo de una comunicación más compleja? Esta es, insisto, una obra profundamente americana por su constante lucha por superarse, por ver si es capaz de hacer una jugada más. En su última obra, Poulenc ha dado entrada a Mahler, pero incluso en estos momentos de hedonismo extravagante, se siente la presencia esencial y absoluta del ojo guardián, de la mirada ávida y el músculo doblado. En una consciencia como la de Salle, que capta información de cualquier parte, todo acaba siendo problemático e inconsecuente. El orden estético representa la lucha del intelecto por sobrevivir, el es-

Freud portrait, a Rops whore, a Watteau or Dix drawing, or a Gericault limb! The same sophisticated reponses that are required for the interreferential games are needed for the overall reading. *King Kong,* for example, can be read as an ironic comment on the behavioural patterns of contemporary society via the Hollywood-style onomatopoeia on the couple's behinds. The blue Kokoshka figure is either recalling or being recalled. Yet such an interpretative process really does not take us very far. The work is, finally about aesthetic experience and about the nature of aesthetic satisfaction. The letters of King Kong create a characteristic chiaroscuro effect; the blue figure establishes a shallow depth and an optical tension with the lettering; and the addition of the light and the table is totally effective provided we do not try to explain it away —effective in the way it echoes and concentrates the dominant colours, and in the glaringly aggressive play it produces between lettering and light-bulb. It can also be taken as an exaggerated body metaphor, a twisting of any trace of simple affirmation. Salle clearly enjoys the cross over— simplifications, the uncomplicated vulgarity, and the transparent falsity of fifties style —when plastic becomes part of the transplant industry!

Cat. No. 4

Cat. No. 5

Tennyson was produced a year later but it is clearly related. On this occasion the quoting system (appropiation is an unfortunate term since Salle is in no way engaged in the procedures and arguments that interest other postmodern artists such as Levine or Steinbach) refers to Jasper Johns —the title of one his works, the heavy pigmented brushstrokes, and the wooden replica of the plaster ear from one of his Targets. The figure on the beach would hardly have met with the approval of the Victorian poet whose name marches so firmly across him! Salle obviously quotes him with some amusement, since although he may have approved of his galloping rhythms it seems unlikeky that he would succumb to the floral rhetoric. It is, then, once again a question of aesthetic balance, of things finding their place: an echoing of tones, a locking in of horizontal and vertical readings, a slight but effective framing, and a play between surface and a plunging diagonal perspective. Salle keeps us moving, on edge. Something is going on and we are involved.

His use of images is characteristically postmodern discourse in that it reveals how we construct our versions of reality. He foregrounds both the constructions and the need for them, stressing the contexts in which images are produced and the overwhelming, yet exhilerating, stench of contamination. Salle's concern is always transformation, additional readings, never sheer appropriation. Postmodernism does not deal with the disjunct world of modernism but with one that is beyond repair, dependent on randomness, contingency, and multiplicity. Salle, like a character in Federman's definitively postmodern novel *Take it or Leave it,* adores discontinuity and difference. He instinctively recognises that «we are difference... our reason is the difference of discourses, our history the difference of times, ourselves the difference of masks. That difference, far from being the forgotten and irrecoverable origin, is this disperson that we are and make»[37]. The discourse underlying his work, the way he questions the world, his stance to reality, is never «either/

fuerzo por imponer algo duradero que contraste con el flujo cada vez más abundante de inconsecuencias simultáneas, reconociendo al mismo tiempo su validez. La imagen que Salle crea a partir de una bombilla es un espejo convexo. Trata con la naturaleza, con superficies, con interiores, con el ojo o con las relaciones entre el arte y la vida, entregándose a la dislocación. Salle colecciona estas reflexiones distorsionadas de un mundo que no tiene un centro estable. Permite que las cosas se acumulen de una manera fortuita, aunque insite en que deben encontrar su sitio. Sus obras son reflexiones sobre su proceso de creación.

Se podría decir que Salle es un «posmoderno clásico». Es clásico en cuanto a su pasión por el orden, y posmoderno porque pone en duda los sistemas centralizados, totalizadores, jerárquicos, cerrados. Los pone en duda, pero no los destruye, puesto que su obra trata al fin y al cabo de la selección y la interferencia. Escucha, observa y registra el mundo excéntricamente, sin centro, fuera de tono. Reconoce la imperiosa necesidad del ser humano de crear orden, señalando al mismo tiempo que los órdenes que creamos son sólo eso: constructos humanos, no entidades naturales o dadas. Necesita un público sofisticado en cuanto a lo visual, bien predispuesto desde el punto de vista lúdico —¡un público capaz de reconocer al pilluelo de Ribera con el pie zopo, un retrato de Freud, una prostituta de Rops, un dibujo de Watteau o de Dix o un miembro de Gericault! El mismo tipo de respuestas sofisticadas que se necesitan para los juegos interreferenciales son indispensables para la interpretación de conjunto. *King Kong,* por ejemplo, se puede interpretar como un comentario irónico de las pautas de comportamiento de la sociedad contemporánea a través de la onomatopeya hollywoodiana de los traseros de la pareja. La figura azul de Kokoshka está ya recordando, ya siendo recordada. Sin embargo, un proceso interpretativo de tales características no nos lleva muy lejos. La obra trata, en realidad, de la experiencia estética y de la naturaleza de la satisfacción estética. Las letras de *King Kong* crean un efecto de claroscuro muy característico, la figura azul, una profundidad superficial y una tensión óptica con el rótulo; la adición de la luz y la mesa es totalmente eficaz, siempre y cuando no intentemos explicarla; eficaz en cuanto a la manera en que se hace eco y concentra los colores dominantes y en cuanto al juego manifiestamente agresivo que establece entre el rótulo y la bombilla. También se puede interpretar como una metáfora exagerada del cuerpo, como una manera de torcer cualquier huella de afirmación simple. No hay duda de que Salle disfruta de las simplificaciones groseras y exageradas, de la vulgaridad sin complicación y de la falsedad transparente del estilo de los años cincuenta, ¡cuando el plástico forma parte de la industria de trasplante de órganos!

Cat. n.º 4

Cat. n.º 5

Tennyson apareció un año más tarde, pero está obviamente relacionada con la anterior. En esta ocasión, el sistema de citas (*apropiación* es un término desafortunado, ya que Salle no utiliza en modo alguno procedimientos y argumentos que interesan a otros artistas posmodernos como Levine o Steinbach) hace referencia a Jasper Johns: el título de una de sus obras, las pinceladas muy espesas y la réplica en madera del oído de yeso de una de sus dianas. La figura de la playa no hubiese recibido la aprobación del poeta victoriano cuyo nombre desfila con tanta firmeza a través de ella. No hay duda de que a Salle le parece divertido citarlo, puesto que, a pesar de que hayamos aprobado sus ritmos excesivamente retóricos, forzados, no parece proba-

or» but always «both/and». There is a constant overlapping of critical, philosophical, and pictoric discourses as being culturally healthy. The assertive Modernist desire for authority and closure is dismantled in favour of a more plural approach that willingly indulges in all forms of intellectual play. What Salle so accutely questions are the assumptions of how we make meaning, of how we put it together.

The world both determines and is determined by consciousness. The way we look becomes what we see. Salle's cool intelligence, his moments of irony or cynicism, his analytical distance, or his flashes of calculated capriciousness, are responsive visions, the necessary strategies of noninvolvement. He has paradoxically created a style, some critics might call it a high-gloss finish, out of the fact that he did not particularly believe in one. It is a style that seems implicitly to admit that to describe is to ironise, and that to do so stylishly is to convince. There are, of course, numerous devices that have come to characterise his work —veils and transparencies, the submission of space to a bombardment of images, the use of block prints or silhouettes that serve as pin-pricks of narrative or point of emotional attention, or the wide-ranging systems of quotation —and they are all consequences of his dialectical involvement with the nature of meaning and with the appropriateness of submitting a visual culture to a charged visual questioning [38]. These works carry the awareness that the net effect of thought about language «with its rejection of essence and such founding principles of history as causality and sufficient reason, has been to evacuate history from discourse. And with this evacuation the very idea of reference becomes problematic» [39]. It is a recognition that helps us come to grips with his complex use of images from the past, such as the Magritte portrait in *Symphony Concertante II,* the Landseer dog in *Jar of Spirits* or the Velasquez one in *Yellow Bread,* the Kokoshka figure in *King Kong,* or the Noguchi lamp in *Sextant in Dogtown* etc. These images are not degraded but they are unanchored. Yet their presence, instead of being weakened through a separation from context, becomes increasinly more assertive and problematic. They correspond, perhaps, to that insatiable craving of the modern consciousness for detective stories that answers the need for a kind of experimental amoralism in a culture doomed to live amidst an excess of conflicting ethics and rich ambiguities. Salle, however, is complicating a plot that offers no relief and no convenient denouement.

Cat. No. 15

Cat. No. 4

ble que sucumba a la retórica floral. Es, pues, de nuevo, una cuestión de equilibrio estético, de que las cosas encuentren su sitio: la reverberación de los tonos, el firme acoplamiento de interpretaciones horizontales y verticales, un pequeño pero eficaz encuadre, y un juego entre la superficie y una superficie diagonal que se hunde. Salle nos mantiene en movimiento, angustiados. Está sucediendo algo, y nosotros tenemos algo que ver.

El uso que hace de las imágenes es típico del discurso posmoderno, en la medida en que revela cómo construimos nuestras versiones de la realidad. Salle coloca en primer plano tanto las construcciones como la necesidad que tenemos de ellas, poniendo de relieve los contextos en los que se producen las imágenes y el abrumador, aunque estimulante, hedor de la contaminación. La preocupación de Salle es siempre la transformación, las lecturas adicionales, y jamás la apropiación directa. El posmodernismo no se ocupa del mundo inconexo del modernismo, sino de otro que ya no es posible reparar, y que depende del azar, de la contingencia y de la multiplicidad. Salle, cual personaje de *Take it or Leave it,* una novela de Federman que, sin duda alguna, es posmoderna, adora la discontinuidad y la diferencia, y reconoce de una manera instintiva que «somos la diferencia... nuestra razón está constituida por las diferencias existentes entre los discursos, nuestra historia por las diferencias entre las épocas, y nosotros mismos por la diferencia entre las distintas máscaras que nos ponemos. Esa diferencia, lejos de ser el olvidado e irrecuperable origen, es esta dispersión en la que nos encontramos y que nosotros mismos creamos» [37]. El discurso subyacente a su obra, su forma de cuestionar el mundo, la postura que adopta ante la realidad, no es nunca «o/o», sino siempre «tanto/como». Hay una continua superposición de discursos críticos, filosóficos y pictóricos, puesto que esto es culturalmente enriquecedor. El perentorio deseo modernista de autoridad y cerramiento queda desmantelado en favor de un punto de vista más plural que deliberadamente tolera todo tipo de juegos intelectuales. Lo que Salle cuestiona con tanta agudeza son las asunciones de cómo creamos el significado, de cómo lo ensamblamos.

El mundo, a un tiempo, determina y está determinado por la concien-

17 DAVID SALLE. DIBUJO SACADO DE UNA FIGURA POPULAR, 1988
Drawing from folk art figure

18 PAGINA UTILIZADA POR DAVID SALLE PARA «MARKING THROUGH WEBERN»
Working-page used by David Salle for «Marking through Webern»

410 (left). Head. East Sparta, Ohio. C. 1910. Sewer tile. H. 8¼". This whimsy is a powerful and original piece of sculpture. (Mr. and Mrs. Michael D. Hall)

36

The fragment seems one of the most convincing representations of the way the contemporary consciousness accumulates and understands experience. It is indicative of the way we live comfortably amidst rapid change and the partially glimpsed or understood. Salle's use of imagery is massively promiscuous and willingly includes images that range from cigar-box musical instruments to a photo from the Spanish Civil War, from an image in a guide book to Naples to an Olive Fife photo of a Halloween Contest, or from the search for an image analogous to the sound of a saxaphone to one of his own photos of a nude in a posture that serves as a scurrilous reminder to the Miller's flatulent intentions should we trouble to reread his story in Chaucer's *Canterbury Tales!* His use of these fragments evidently does not produce a narrative but it does lead to a creation of fictions, not fiction in the sense of an addition to reality but fiction as a model of the world. Salle claims suspensiveness, a willingness to live admist uncertainty. He is interested neither in assimilation nor appropriation but rather in the passionate needs that grow from contingency. These fragments are, at one level, acts of criticism that insist on the need for continuous questioning. His is an art of unrest —unrest brought, as it were, to classical resolution. In short, he proposes a new syntax, that includes the circulation of losses, parataxis, and the introduction of new single meanings across a discontinuous hiatus.

If we are looking for signs of how Salle deals with that «emptiness at the core of being» that Liebmann refers to, we can, perhaps, find one of the answers in a remark of Campbell Tatham «if it all seems uncertain... if we come to survey emptiness without and emptiness within —I need not despair: we can always create a new role, initiate a new performance, conduct a renewed transformation, amid the endless series»[40]. His concentration in recent works on the nude figure, on the body as location, on sexuality as the mode of questioning characteristic of our time, brings this emptiness to one of its most painful grounds. Salle shows us

cia. La forma de mirar acaba siendo la forma ver. La fría inteligencia de Salle, sus momentos de ironía o cinismo, su distancia analítica o sus destellos caprichosos calculados, son visiones sensibles, las estrategias necesarias para no comprometerse. Paradójicamente, ha creado un estilo, que algunos críticos podrían calificar como «lleno de brillo», a partir del hecho de que él no cree en ninguno en concreto. Es un estilo que parece admitir implícitamente que describir es ironizar, y que hacerlo de una manera elegante es convencer. No cabe duda de que hay muchos recursos que han llegado a ser característicos de su obra —el velo y las transparencias, la sumisión del espacio a un bombardeo de imágenes, el uso de letras hechas con moldes de imprenta o siluetas que sirven de llamadas de atención a la narrativa o a la emoción, o los sistemas de citas tan amplios— que son el resultado de su compromiso dialéctico con la naturaleza del significado y con la conveniencia de cuestionar una cultura profundamente visual precisamente a través de la imagen[38]. Estas obras permiten darnos cuenta de que la verdadera influencia del pensamiento en el lenguaje, «al rechazar aquél la noción de esencia y principios fundamentales de la historia tales como la causalidad y la razón, ha sido excluir del discurso el concepto de historia, y, con esta exclusión, la idea misma de referencia se torna problemática»[39]. Es una reflexión que nos ayuda a enfrentarnos al uso tan complejo que hace de las imágenes del pasado, por ejemplo del retrato de Magritte en *Symphony Concertante II,* el perro de Landser en *Jar of Spirits* o el de Velázquez en *Yellow Bread,* la figura de Kokoshka en *King Kong,* o la lámpara de Noguchi en *Sextant in Dogtown.* Estas imágenes no están degradadas, pero quedan suspensas en el vacío, sin asideros. No obstante, su presencia, en vez de quedar debilitada por haber sido sacadas de contexto, es cada vez más perentoria y problemática. Corresponde, quizás, a esa obsesión de la conciencia moderna por las novelas policíacas, lo cual responde a la necesidad de una especie de amoralismo experimental en una cultura condenada a vivir inmersa en un exceso de éticas en conflicto y ricas ambigüedades. Empero, Salle está complicando un argumento que no ofrece ni consuelo ni un desenlace apropiado.

Cat. n.º 15

Cat. n.º 4

that he knows how to orchestrate these shadows, helping us to recall that phrase of Nietzsche: «Perhaps truth is a woman who has reasons not to let her reasons be seen»[41]. Truth, for Salle, means organising what is happening.

19 DAVID SALLE. PRUEBA DE GRABADO, 1988
Etching proof

NOTES

1 Liebmann, L., «Harlequinade for an Empty Room: on David Salle», *Artforum,* Feb. 1987, p. 94.
2 Jackson, J., *American Space: The Centenial Years, 1865-76,* Norton, New York, 1972.
3 Sauer, C., quoted by Ed Dorn in *Idaho Out,* from *Land & Life,* University of California Press, Berkeley, 1974.
4 Dorn, E., *Geography,* Fulcrum Press, London, 1968, p. 27.
5 Irby, K., *Catalpa,* Tansy Press, Kansas, 1977, p. 96.
6 Schjedahl, P., *David Salle: Sieben Bilder,* Michael Werner, Koln, 1985, n.p.
7 Denby, E., *Dance Writings,* Knopf, New York, 1986, p. 467.
8 Ibid., p. 491.

El fragmento parece ser una de las expresiones más convincentes de la manera en que la conciencia contemporánea acumula e interpreta la experiencia. Es un indicio de que vivimos a gusto sumergidos en los cambios rápidos y en lo que tan sólo vemos o entendemos parcialmente. El uso que Salle hace de la imagen es absolutamente promiscuo e incluye deliberadamente imágenes que van desde una caja de puros e instrumentos musicales hasta una foto de la Guerra Civil española, desde una imagen tomada de una guía turística de Nápoles hasta una foto de Olive Fife de un concurso en la fiesta de Halloween, o desde la búsqueda de una imagen análoga al sonido de un saxofón, hasta una de sus propias fotos de un desnudo en una postura grosera que sirve para recordarnos las crudas intenciones del Molinero ¡en caso de que nos tomemos la molestia de releer su historia en los *Cuentos de Canterbury,* de Chaucer! El uso que hace de estos fragmentos no da como resultado, evidentemente, una narrativa, pero lleva a una creación de ficciones, no ficción en el sentido de algo añadido a la realidad, sino ficción como un modelo del mundo. Salle se inclina por todo aquello que queda en suspenso, por vivir voluntariamente en la incertidumbre. No está interesado ni en la asimilación ni en la apropiación, sino más bien en las apasionadas necesidades que surgen de la contingencia. Estos fragmentos son, por un lado, reflexiones que subrayan la necesidad de estar continuamente cuestionándolo todo. El suyo es un arte del desasosiego —un desasosiego resuelto, por así decirlo, de una manera clásica. Resumiendo, propone una nueva sintaxis que incluye la imposibilidad de llegar a una comunicación total, la parataxis y la incorporación de significados nuevos, únicos, en un hiato discontinuo.

Si lo que buscamos son signos de cómo Salle trata el «vacío en el corazón del ser» del que habla Liebmann, quizá podamos encontrar una de las respuestas en un comentario de Tatham: «si todo parece incierto, si llegamos a reflexionar sobre el vacío externo e interno —no me desespero: siempre se puede crear un papel nuevo, empezar una nueva representación, dirigir una renovada transformación, inmersos en una serie eterna»[40]. Su insistencia en obras recientes en la figura desnuda, en el cuerpo como *topos,* en la sexualidad como forma de cuestionar una característica de nuestro tiempo, lleva ese vacío a uno de sus límites más dolorosos. Salle nos demuestra que sabe cómo orquestar esas sombras, haciéndonos recordar esa frase de Nietzsche: «Quizá la verdad es una mujer que tiene razones para no dejarnos ver sus razones»[41]. La verdad, para Salle, significa organizar lo que está pasando.

KEVIN POWER
Traducción de Africa Vidal

NOTAS

1 L. Liebmann, «Harlequinade for an Empty Room: on David Salle», *Artforum,* febrero, 1987, p. 94.
2 J. B. Jackson, *American Space. The Centenial Years, 1865-1876,* Nueva York, Norton & Co., 1972.
3 C. Sauer, Citado por Ed. Dorn en *Idaho Out,* tomado de *Land & Life,* Berkeley, University of California Press, 1974.
4 E. Dorn, *Geography,* Londres, Fulcrum Press, 1968, p. 27.
5 K. Irky, *Catalpa,* Kansas, Tansy Press, 1977, p. 96.
6 P. Schjedahl, *David Salle: Sieben Bilder,* Colonia, Michael Werner, 1985, n.p.
7 E. Denby, *Dance Writings,* Nueva York, Knopf, 1986, p. 467.
8 *Ibid.,* p. 491.

9 Schjedahl, P., *David Salle,* Vintage, New York, 1987, p. 21.
10 Denby, E., *Dance Writings,* id., p. 241.
11 Schjedahl, P., review of Armitage/Salle collaboration «The Elizabethan Phrasing of Albert Ayler».
12 Kofsky, F., *Black Nationalism and the Revolution in Music,* Pathfinder Press, New York, 1970, n. p.
13 Ashbery, J., *Houseboat Days,* Penguin, 1977.
14 Ashbery, J., «Stanza in Meditation», *Poetry,* No. 4, New York, 1957, p. 241.
15 Debord, G., *Society of the Spectacle,* Black & Red, Detroit, Michigan, 1983.
16 Ibid.
17 Hawkes, J., *David Salle,* Mary Boone, 1985, n. p.
18 Kuehl, J., «Interview with John Hawkes», *John Hawkes and Craft of Conflict»,* Rutgers U. P., New Brunswick, 1975, p. 157.
19 Olderman, R., *Beyond the Waste Land: the American Novel in the Nineteen Sixties,* Yale U. P., 1972, p. 9.
20 Scholes, R., «A Conversation on *Blood Oranges»,* *Novel* 5, 1972, p. 197.
21 Salle, D., in *Blasted Allegories,* ed. Wallis, B., New Museum of Contemporary Art, New York, 1987, p. 25.
22 Lawson in his widely quoted *Last Exit Painting,* acknowledges Salle's elegance and high fashion, and the diptych format so characteristic of his paintings in the early eighties, and notes that «meaning is intimated but tantalizingly witheld». It disappears as you approach it. He goes on to point out that Salle «makes paintings that are dead, inert representations of the impossibility of passion in a culture that has institutionalized self-expression. They take the most compelling sign for personal authenticity that our culture can provide, and attempt to reveal its falseness. The paintings look real, but they are fake. They operate by stealth, insinuating a crippling doubt into the faith that supports and binds our ideological institutions». Rene Ricard also uses Salle's remark on *Cover,* May 1979 as a support for his argument that «the paintings have to be dead, that is, from life but not a part of it, in order to show how a painting can be said to have anything to do with life in the first place».
23 G. Solana, J., *Madrid Callejero,* Trieste, Madrid, 1984.
24 De Man, P., *Blindness and Insight: Essays in Rhetoric of Contemporary Criticism,* Minnesota U. P., Minneapolis, 1983.
25 Ibid.
26 Schjedahl, P., «Conversation with David Salle», *Arts Journal* 30, Sept/Oct. 1981, p. 16.
27 Ibid.
28 It is worth noting what Paz has to say in *Conjunctions and Disjunctions* in this respect: Sex is subversive not only because it is spontaneous, but also because it is egalitarian: it has no name and no class. Above all it has no face. It is not individual: it belons to the especies. The fact that sex has no face is the source of all the metaphors that I have mentioned, and also is the source of our unhappiness. The sex organs and the face are separated, one below and one above; moreover, the former are hidden by clothes and the latter is uncovered (thus, covering the woman's face as the Moslems do, is tantamount to affirming that she has no face: her face is a sex organ). This separation, which has made us human beings, condemns us to labor, to history, and to the construction of tombs. It also condemns us to invent metaphors to do away with this separation. The sex organs and all their images —from the most complex down to jokes in a barroom— remind us that there was a time when our face was down close to the ground and our genitals. There were no individuals and all human creatures were part of the whole. The face finds this memory unbearable, and therefore it laughs —or vomits. Our sex organs tell us that there was a golden age; for the face, this age is not the solar ray of light of the Cyclops but excrement». P. 28.
29 Paz, Octavio, *Conjunciones y Disyunciones,* Joaquin Mortiz, Mexico, 1978, p. 28.
30 Ibid., p. 13.
31 Id., p. 15.
32 Schjedahl, P., *David Salle,* Vintage, New York, 1987, p. 71.
33 Ibid., p. 21.
34 Halliday, J., *Douglas Sirk,* Editorial Fundamentos, Madrid, 1971, p. 124.
35 Schjedahl, P., *David Salle,* Vintage, New York, 1987, p. 21.
36 Ibid., p. 22.
37 Foucault, M., quoted in *A Poetic of Postmodernism,* Hutcheon, L., Routledge, London, 1988, p. 65.
38 It is interesting that Salle in his catalogue introduction to Jack Goldstein talks of «a clouded pool of personal symbols» (Hallwalls New York, 1978). Frequently when one artist writes of another he responds to qualities that have relevance to his own work. This sense of something being «clouded over», either in terms of its original purpose or its immediate possibilities, is highly appropriate. Meaning is something hazy but persistent. It can be abandoned momentarily but remains there like a worrying itch.
39 Thiher, A., *Words in Reflection: Modern Language Theory and Postmodern Fiction,* University of Chicago Press, Chicago, Illinois, 1984.
40 Tatham, C., «Mythotherapy & Postmodern Fictions: Magic is Afoot», *Performance in Postmodern Culture,* ed. Benamou M. & Caramello C., Coda Press, Madison, Wisc., 1977, p. 137.
41 Nietzsche, F. quoted in *Critique of Cynical Reason,* Sloterdijk P., Minnesota U. P., 1987.

9 P. Schjedahl, *David Salle,* Nueva York, Vintage, 1987, p. 21.
10 E. Denby, *Dance Writings,* ed. cit., p. 241.
11 P. Schjedahl, Reseña de la colaboración entre Armitage y Salle: «The Elizabethan Phrasing of Albert Ayler».
12 F. Kofsky, *Black Nationalism and the Revolution in Music,* Nueva York, Pathfinder Press, 1970, n.p.
13 J. Ashbery, *Houseboat Days,* Penguin, 1977.
14 J. Ashbery, «Stanza in Meditation», *Poetry,* núm. 4, Nueva York, 1957, p. 241.
15 G. Debord, *Society of the Spectacle,* Detroit, Michigan, Black & Red, 1983.
16 *Ibid.*
17 J. Hawkes, *David Salle,* Mary Boone, 1985, n.p.
18 J. Kuehl, «Interview with John Hawkes», *John Hawkes and Craft of Conflict,* Nueva Brunswick, Rutgers University Press, 1975, p. 157.
19 R. M. Olderman, *Beyond the Waste Land: American Novel in the Nineteen sixties,* Yale University Press, 1972, p. 9.
20 R. Scholes, «A Conversation on *Blood Oranges»,* Novel 5, 1972, p. 197.
21 D. Salle, en *Blasted Allegories,* B. Wallis (ed.), Nueva York, New Museum of Contemporary Art, 1987, p. 25.
22 Lawson, en su famoso libro *Last Exit Painting,* reconoce la elegancia de Salle y la forma tan característica, a la manera de díptico, de sus cuadros de principios de los ochenta y señala que «el significado es íntimo y seductoramente oculto». Desaparece a medida que te aproximas. Sigue diciendo que Salle «hace cuadros que están muertos, representaciones inertes de la imposibilidad de la pasión en una cultura que ha institucionalizado la expresión de la propia personalidad. Sus cuadros toman la señal más fuerte de autenticidad personal que nuestra cultura sea capaz de ofrecer, y trata de ponerle fin, de revelar su falsedad. Los cuadros parecen reales, pero son un simulacro. Operan a hurtadillas, insinuando una duda paralizadora en relación con la fe en la que se apoyan nuestras instituciones ideológicas». René Ricard también usa las palabras de Salle en *Cover* (mayo, 1979) para ratificar su idea de que «los cuadros han de estar muertos, es decir, han de proceder de la vida, pero no ser parte de ella, con el fin de mostrar cómo se puede decir que un cuadro puede tener desde el primer momento cualquier tipo de relación con la vida».
23 J. G. Solana, *Madrid Callejero,* Madrid, Trieste, 1984.
24 P. de Man, *Blindness and Insight: Essays in Rhetoric of Contemporary Criticism,* Minneapolis, Minnesota University Press, 1983.
25 *Ibid.*
26 P. Schjedahl, «Conversation with David Salle», *Arts Journal* 30, sept/oct. 1981, p. 16.
27 *Ibid.*
28 Vale la pena notar lo que Octavio Paz dice en este sentido en *Conjunciones y Disyunciones:* «Ahora bien, el sexo es subversivo no sólo por ser expontáneo y anárquico sino por ser igualitario: carece de nombre y de clase. Sobre todo, no tiene cara. No es individual: es genérico. El no tener cara el sexo es el origen de todas las metáforas que he mencionado y, además, el origen de nuestra desdicha. El sexo y el rostro están separados, uno abajo y otro arriba: como si no fuese bastante con esto, el primero anda oculto por la ropa y el segundo al descubierto. (De ahí que cubrir el rostro de la mujer, como hacen los musulmanes, equivalga a afirmar que realmente no tiene cara: su cara es sexo). Esta separación que nos ha hecho seres humanos, nos condena al trabajo, a la historia y a la construcción de sepulcros. También nos condena a inventar metáforas para suprimirla. El sexo y todas sus imágenes —desde las más complejas hasta los chistes de cantina— nos recuerdan que hubo un tiempo en que la cara estuvo cerca del suelo y de los órganos genitales. No había individuos y todos eran parte del todo. A la cara le parece insoportable ese recuerdo y por eso ríe —o vomita. El sexo nos dice que hubo una edad de oro: para la cara esa edad no es el rayo solar del cíclope sino el excremento».
29 Octavio Paz, *Conjunciones y Disyunciones,* México, Joaquín Mortiz, 1978, p. 28.
30 *Ibid,* p. 13.
31 *Ibid,* p. 15.
32 P. Schjedahl, *David Salle,* ed. cit., p. 71.
33 *Ibid.,* p. 21.
34 J. Halliday, *Douglas Sirk,* Madrid, Fundamentos, 1971, p. 124.
35 P. Schjedahl, *David Salle,* ed. cit., p. 21.
36 *Ibid.,* p. 22.
37 M. Foucault, citado en *A Poetics of Postmodernism,* L. Hutcheon, Londres, Rouledge, 1988, p. 65.
38 Es interesante recordar que, en su introducción al catálogo de Jack Goldstein, Salle habla de «un oscuro fondo de símbolos personales» (Hallwalls, Nueva York, 1978). En muchas ocasiones, cuando un artista habla de otro, hace referencia a cualidades que son importantes en su propia obra. Esta sensación de que hay algo «oscuro», ya en su propósito inicial ya en relación con sus posibilidades inmediatas, es muy apropiado. El significado es algo vago, pero persistente. Podemos abandonarlo momentáneamente, pero sabemos que sigue ahí, como un molesto picor.
39 A. Thiher, *Words in Reflection: Modern Language Theory and Postmodern Fiction,* Chicago, Illinois, University of Chicago Press, 1984.
40 C. Tatham, «Mythotherapy & Postmodern Fictions: Magic is Afoot», *Performance in Postmodern Culture,* M. Benamou & C. Caramello (eds.), Madison, Wisc., Coda Press, 1977, p. 137.
41 F. Nietzsche, citado en *Critique of Cynical Reason,* P. Sloterdijk, Minnesota University Press, 1987.

38

DAVID SALLE: THE TRIUMPH OF ARTIFICIALITY, THE SHOCK OF THE COMMONPLACE *

Carla Schulz-Hoffmann

In the past fifteen years there were hardly any American names to be found in the vanguard of internationally leading younger artists —that is to say, not even on the American marketplace. The two exceptions, Julian Schnabel and David Salle, were indeed propagated all the more vehemently, which imbued the two of them with an exotic aura on the extremely European-dominated scene. Today, now that we have a certain historical distance to catchwords like «New Expressionism» or «Transavanguardia», both of these artists are in any case among the established notables; scorned or accepted, but by all means firmly entrenched and not overlooked by the museums.

And from this perspective, we can discern —at least as far as David Salle is concerned— that, like many of his generation in Europe, he was always too much of an individualist to have confirmed to the preordained principles of any group or movement. He is in fact an individualist par excellence, even though, to a greater degree than almost any other painter, his subject-matter is the ordinary, the commonplace, and even though he advocates an eclectic style, lavishly helping himself from the storehouse of classical art, highbrow culture, and subculture. If we take the expression coined by an Italian critic literally, «Transavanguardia» seems to apply particularly well to Salle, who, in a manner of speaking, from a position outside the avant-garde, blithely has the avant-garde at his disposal.

For all that, Salle's «synthetic» art reveals a through-and-through American distinctive pictorial grasp. The equivalence in principle of all styles and themes, the mixture of sophisticated intelligence, naïveté and wit, the lack of respect for the revered great cultural figures of history, the brazen treatment of sacrosanct myths and traditions, the proximity of prudishness and perversion, along with a simultaneous melodramatic undertone, result in a combination almost unthinkable in Europe.

The peculiar discrepancies in Salle's works, the combination of utterly dissimilar stylistic elements, reveal an attitude of mistrust toward all «absolute» truths. Salle's polarities have their formal origin in his roots in the realm of conceptual color-field painting associated with Richard Diebenkorn. The early works clearly give away this affinity and the conceptual point of departure. They are devoid of any artistic personal note[1]; they appear to be neutral, often childishly naïve, in a way comparable to the early work of Sigmar Polke, with whom Salle is also linked by an intellectual kinship to Dada and the surrealism of a Francis Picabia. That which is surprising and new, as with Picabia before him, does not lie in the style, but in the substance and manner of presentation. The repertoire of images is evidence of the artistic «personal signature»; diversity and incongruity are signs of his individuality.

Styles are used as assets —here too, a similarity to Polke or to Gerhard Richter as well— and serve as collage elements, employed as direct quotations. However, whereas Richter's works are sometimes abstract and sometimes representational, Salle quotes everything lumped together: abstraction and representationalism, photorealism and dripping in a single painting, side by side and inside each other. It is a method that goes beyond the cubists' endeavor to de-

40

DAVID SALLE: EL TRIUNFO DE LO ARTIFICIAL, LA SORPRESA DE LO COTIDIANO *

Carla Schulz-Hoffmann

Durante los últimos quince años apenas ha habido nombres americanos en la vanguardia internacional de artistas jóvenes —es decir, ni siquiera en el mercado americano. Las dos excepciones, Julian Schnabel y David Salle, gozaron de un extraordinario impulso que les proporcionó una aureola exótica en el ámbito pictórico, totalmente dominado por los europeos. Hoy, cuando ya hay una cierta distancia histórica entre nosotros y expresiones como «Nuevo Expresionismo» o «Transvanguardia», ambos artistas están, en cualquier caso, entre los ejemplos más notables; criticados o alabados, pero siempre tenidos en cuenta por los museos. Y, desde este punto de vista, podríamos afirmar —al menos en lo que respecta a David Salle— que, al igual que otros muchos europeos de su generación, siempre ha sido demasiado individualista como para aceptar los principios preestablecidos por cualquier grupo o movimiento. De hecho, es individualista por excelencia, a pesar de que, más que ningún otro pintor, su tema favorito es lo cotidiano y de que aboga por un estilo ecléctico, lleno de citas del arte clásico, del mundo intelectual y de la cultura de masas. Si interpretamos literalmente la expresión «Transvanguardia», acuñada por un crítico italiano, llegaremos a colegir que ésta parece poder aplicarse perfectamente a Salle, quien, por así decirlo, aun desde fuera de la vanguardia, tiene a la vanguardia a su disposición. Por todo ello, el arte «sintético» de Salle hace una interpretación de la pintura que es absolutamente americana. La equivalencia en principio de todos los estilos y temas, la mezcla de una inteligencia sofisticada, ingenuidad e ingenio, la falta de respeto por las grandes figuras de la historia, el tratamiento descarado de los mitos y las tradiciones sagradas, la proximidad de mojigatería y perversión, sobre un fondo al mismo tiempo melodramático, da como resultado una combinación casi increíble en Europa.

Las disonancias típicas de las obras de Salle, la combinación de elementos estilísticos totalmente distintos entre sí, revelan una actitud de desconfianza hacia toda verdad «absoluta». Las polaridades de Salle tienen su origen formal en los comienzos del pintor en el reino de la pintura conceptual de campos de color asociada con Richard Diebenkorn.

No cabe duda de que las primeras obras se olvidan de esta relación y del punto de partida conceptual. Carecen de toda característica personal[1], parecen ser neutrales, a menudo puerilmente ingenuas, como la obra inicial de Sigmar Polke, con quien Salle también está relacionado por una afinidad intelectual hacia el Dadá y el Surrealismo de un Francis Picabia. Lo que es sorprendente y nuevo, al igual que lo fue en Picabia, no es el estilo, sino la esencia y la forma de presentación. El repertorio de imágenes es una prueba de la «firma personal» artística; la diversidad y la incongruencia son señales de su individualismo.

Los estilos se usan como bienes —y éste es otro punto de confluencia con Polke, así como con Gerhard Richter— y sirven como elementos del *collage* usados como citas directas. No obstante, mientras que las obras de Richter son unas veces abstractas y otras figurativas, Salle lo cita todo a la vez: la abstracción y la figuración, el fotorrealismo y el *dripping* en el mismo cuadro, uno junto al otro y uno dentro del otro. Es un método que va más allá del esfuerzo de los cubistas por demostrar lo artificioso del arte: cada figura pintada, ya abstracta ya objetiva, está en relación falsa con la realidad, aunque es verdadera en el ámbito del arte. Salle aplica esta teoría, que tiene que ver sobre

monstrate the artificiality of art: every painted figure, whether abstract or objective, is in a false relation to reality —yet true within the scope of art. Salle applies this theory, which primarily concerns form, to the facet of subject-matter as well, by placing contrary and clashing themes side by side and giving them equal value. He does not provide us with any unequivocal possibility of interpreting the painting's subjects, but dwells in self-contradiction, consciously contravening himself —a method influenced by Picabia and Magritte, and especially by Jasper Johns. A figure may be abstract in form, in content, or in both at the same time, and its meaning may vary.

Neither the diverse visual metaphors nor the fragments of words and banal phrases found in earlier works conjoin to compose a comprehensive whole —not even in connection with the seemingly significance-fraught titles. Only at first glance is this method comparable with Magritte's perplexingly enigmatic paintings, which are open to unriddling with a bit of detective-like mental scrutiny. With Salle, on the contrary, nothing is conclusive; everything remains fragmentary. By means of familiar images such as his overlavish cribbings from European art we are lured into what seems to be clear sailing, only to notice all too soon that the assemblage of specific quotations resists any attempt at interpretation as a continuous narrative. We are presented with pictorial collages whose individual parts in themselves may be quite meaningful indeed, but whose interrelationships remain incomprehensible.

For example, *Coral Made* (1985) consists of two large sections, clearly disparate in form as well as in content. At the left, painted in hues of green, grey and black, we have a group of figures based on a photograph by Magritte[2]. They stand in a curious relationship to each other. The man at the left in disputation; the woman in the middle points at him aggressively with her index finger as if with a weapon; the woman in the foreground turns away defensively, fearfully. In front of that we see a target done in the style of Frank Stella. At the right, an irregular abstract color form overlays silkscreen prints of photos of nudes; supplementing this section we have a childlike precisely drawn portrait sketch and a pasted-on picture of a dog. An interrelationship between the individual elements is hardly discernible. Not even the title offers us any clue. «Coral made» —Peter Schjedahl suggests a reference to Ariel's song in Shakespeare's *Tempest*[3]— might possibly imply «fragility» or «vulnerability» and could therefore be associated with the frailty of the relations between the persons portrayed, relations obviously ridden by tensions. Scarcely any further correlations can be extrapolated and even the compositional structure remains strangely disparate.

This skepticism toward established truths along with his probable fear of revealing his innermost self leads to a method of unmitigated artificiality, and, in a second step, to an apotheosis of painting-for-painting's-sake, whether it be conceptual or depictive. The only clear and distinct thing about these paintings is the technical execution, the conceptual lucidity, or the artistic gesture.

This becomes particularly evident in the manner of depicting the nude figure, the leading motive in Salle's entire

todo con la forma, también al contenido, poniendo juntos temas contrarios y dispares y dándoles el mismo valor. No nos da ni siquiera una sola oportunidad inequívoca de interpretar los temas de los cuadros, sino que se sumerge en lo antagónico, contradiciéndose conscientemente —un método que usa por influencia de Picabia y Magritte, y, sobre todo, de Jasper Johns. Una figura puede tener forma o contenido abstractos, o ambos al mismo tiempo, y su significado puede variar.

Ni las diversas metáforas visuales ni los fragmentos de palabras y frases banales que aparecen en obras anteriores se unen para componer un todo comprehensivo —ni siquiera en relación con los títulos, que aparentemente están cargados de significado. A primera vista, este método se puede comparar con los enigmáticos cuadros de Magritte, que tan perplejos nos dejan, pero que podemos descifrar si hacemos un pequeño escrutinio mental. Con Salle, en cambio, nada es definitivo; todo queda fragmentado. Con imágenes familiares, como, por ejemplo, sus abundantes y desconsiderados plagios del arte europeo, nos atrae hacia algo que parece fácil, aunque muy pronto nos damos cuenta de que la ensambladura de citas se resiste a ser interpretada como una narrativa continua. Aparecen *collages* pictóricos cuyas partes individuales pueden ser por sí mismas bastante significativas, pero cuya interrelación sigue siendo incomprensible.

Por ejemplo, *Coral Made* (1985), está formada por dos grandes secciones, claramente dispares tanto en cuanto a su forma como en cuanto a su contenido. A la izquierda, pintado en tonos de verde, gris y negro, hay un grupo de figuras basadas en una fotografía de Magritte[2]. La relación entre ellas es muy curiosa: el hombre de la izquierda está discutiendo, la mujer del centro le señala de una manera muy agresiva con el dedo índice como si de un arma se tratase; la mujer que está en primer plano nos vuelve la espalda con miedo, a la defensiva. En frente, vemos una diana a lo Frank Stella. A la derecha, una forma de color abstracta e irregular cubre serigrafías de fotos de desnudos; como complemento a esta sección, tenemos el croquis de un retrato infantil dibujado con precisión y la imagen de un perro pegada encima. Apenas se puede apreciar una interrelación entre los elementos. Ni siquiera el título da una pista: *Coral Made,* que, según Peter Schjedahl, hace referencia a la canción de Ariel en *La Tempestad* de Shakespeare[3], podría implicar «fragilidad» o «vulnerabilidad», y podría, por tanto, estar relacionado con la inconsistencia de las relaciones entre las personas retratadas, relaciones obviamente infestadas de tensiones. No se pueden extrapolar más correlaciones, y hasta la estructura de la composición es extrañamente dispar.

Este escepticismo hacia las verdades establecidas, junto a su posible miedo de revelar su yo más íntimo, le lleva a un método de artificio desenfrenado, y, en un segundo estadio, a una apoteosis de la pintura por la pintura, ya conceptual, ya figurativa. Lo único claro y característico de estos cuadros es la ejecución técnica, la lucidez conceptual o el gesto artístico.

Esto es especialmente evidente en la forma de representar la figura desnuda, el tema principal de toda la obra de Salle. Aunque están tomados de los clichés de la pornografía y se los ve desde la perspectiva del *voyeur* o del *peep-show,* estos desnudos quedan totalmente desprovistos de erotismo. Por el contrario, se convierten en formas pictóricas abstractas, como en *Pure Difference,* o en fríos objetos de

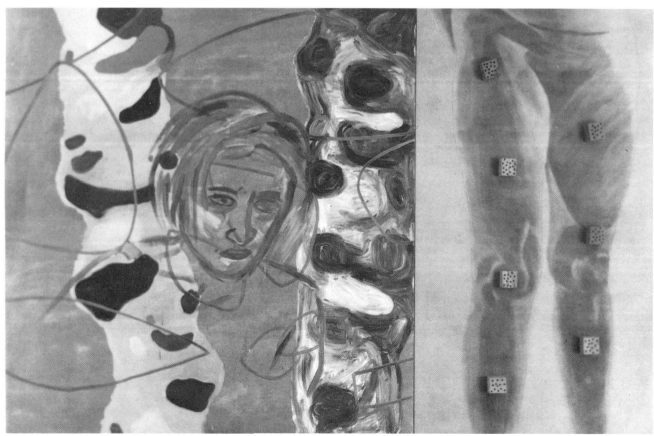

42

œuvre. Although they are borrowed from the usual clichés of pornographic portrayals and are often seen from the perspective of the voyeur or the peep-show, these nudes have an effect that is totally devoid of stimulating eroticism. Instead of that, they turn into abstract pictorial forms, such as in *Pure Difference* or cold demonstration objects, as in

Cat. No. 11

Saltimbanques or *Gericault's Arm*. In any case, they are without exception reduced to pure artificiality, abstract quotations that only retain a secondary trace of their erotic radiance.

On a second level, this unquestionably applies to the message as well, as the postulation of a slick and perfectly styled eroticism that is marketed as a product, just like those on the cram-filled shelves of the supermarkets, and thereby —like the can of Campbell's soup in pop art a while back— attains the status of art. Nevertheless, the factor that is more decisive is the role the figures play as abstract pictorial elements only suggestive of bearers of meaning, but which in the final run only mean emptiness.

It is ironic that this thereby revives the traditional form of academic nude painting with its self-complacent indulgence in the most artificial contortions possible and eccentric per-

Cat. No. 8

spectives (e.g. *Fooling with Your Hair* and, just as formerly in the case of the academicians, oversteps the bounds and becomes comical.

In addition, the scenery in Salle's paintings, as frigid as it is manneristic, has much to do with his fondness of the 1950s, expressed not only in the furniture and design elements, but also in the often garish color schemes and the parts illuminated by cold neon lighting. The American middle-class ideal of «nice and clean», the sleek form, the perfect surfaces, all take on something monstrous and oppressive in Salle's works. The most hidden desires, secret longings, sexual obsessions, are deprived of any intimacy, are dragged into the light and thereby enlarged into an overdimensional format to such an extent that they become objects of public display. For example, the five-meter wide painting *The Tulip Mania of Holland* by its hugeness alone transfers the peep-show into the sphere of general availability. Simultaneously however, the distorted perspectives, the placement of the nudes as on a dissecting table, generates distance anew and an atmosphere of melancholy and despair that encircles the observer.

The degradation of women to objects of lust, their debasement to commodities proffered downright to voyeurs —this massive reproach made to Salle by feminist circles is only justified if one abstracts the ambiance of these paintings and presents nothing but the superficial description as evidence. These nudes can only be called pornographic in respect to their surface portrayal. Their «message», if we insist upon one, nevertheless lies in an entirely different area: their expressions of resignation, mute surrender and abysmal sadness, are also directed at the observer. They expose his desire as an unfulfillable utopia and degrade his most clandestine longings to public show-pieces devoid of any intimacy. Gigantic —almost violently so— is the external dimension, behind which the vacuity and desperation shine through all the more clearly.

Cat. No. 8

Fooling with Your Hair contains all these aspects in a con-

prueba, como en *Saltimbanques* o *Gericault's Arm*. En cualquier caso, acaban reducidos, sin excepción, a lo puramente artificial, a citas abstractas que únicamente retienen la huella difusa de su resplandor erótico.

Cat. n.º 11

Por otra parte, no hay duda de que todo esto se puede aplicar también al mensaje, como un erotismo elegante puesto a la venta como un producto más, como los de los abarrotados estantes de los supermercados, y, por eso —igual que la lata de sopa de Campbell en el Pop Art hace unos años— alcanza el estatus de arte. Sin embargo, el factor decisivo es el papel que juegan las figuras como elementos pictóricos abstractos: sugieren que son portadoras de significado, pero, al final, sólo nos ofrecen vacuidad.

Es irónico que esto suponga una revitalización de la forma tradicional del desnudo académico, con su engreída condescendencia en las deformaciones más artificiales y perspectivas excéntricas (por ejemplo, *Fooling with your Hair),* y, al igual que ocurría antes en el caso de los académicos, traspasa los límites y se torna cómico.

Cat. n.º 8

Además, el escenario de los cuadros de Salle, tan frígido como manierista, tiene mucho que ver con su gusto por los años cincuenta, que aparece no sólo en el mobiliario y los objetos de diseño, sino también en los colores muchas veces chillones y en las partes iluminadas por frías luces de neón. El ideal de la clase media americana de «bonito y limpio», la forma impecable, las superficies perfectas, todas se impregnan de algo monstruoso y opresivo en las obras de Salle. Los deseos más recónditos, los anhelos secretos, las obsesiones sexuales, pierden su intimidad, se los saca a la luz y se los amplía en un formato de muchas dimensiones, hasta el punto de convertirse en objetos de exposición pública. Por ejemplo, el cuadro de cinco metros de ancho titulado *The Tulip Mania of Holland,* transmite, sólo por lo enorme que es, la sensación de estar en un *peep-show* en el que todo el mundo puede entrar. Al mismo tiempo, en cambio, las perspectivas distorsionadas, la localización de los desnudos sobre algo que se parece a una tabla de disección, genera de nuevo lejanía y una atmósfera de melancolía y desesperación que oprime al observador.

La humillación de la mujer al quedar reducida a objeto sexual, su degradación al convertirse en mercancía ofrecida directamente a los *voyeurs,* es una crítica contra Salle de todos los círculos feministas que sólo se justifica si olvidamos la ambivalencia de estos cuadros y no vemos otra cosa que la descripción superficial de la evidencia. Sólo se puede llamar pornográficos a estos desnudos cuando únicamente nos fijamos en la representación de superficie. Su «mensaje», si nos empeñamos en que ha de haber uno, está, empero, en un área completamente distinta: sus gestos de resignación, muda sumisión y tristeza abismal también se dirigen al observador, expresando sus deseos en forma de utopía y degradando sus anhelos más íntimos al convertirlos en objetos públicos. Gigantesca —casi de un modo violento— es la dimensión externa, detrás de la cual brillan la desesperación y la vacuidad.

Cat. n.º 8

Fooling with your Hair contiene todos estos rasgos de una forma concentrada. Por una parte está lo llamativo y el diseño de los años cincuenta en la sección superior del cuadro, y, a la izquierda, el indiferente juego americano con citas de la tradición europea queda ejemplificado con dos esculturas de Giacometti y con una vaga paráfrasis de un cuadro de Watteau. En el panel inferior, este escenario artístico

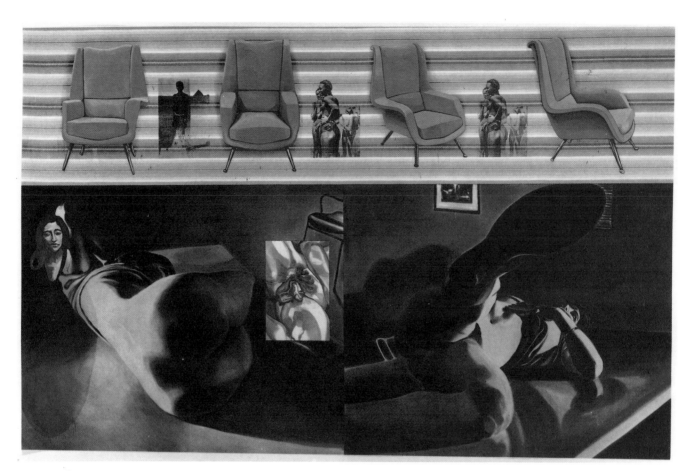

44

centrated form. On the one hand we have the gaudiness and design of the 50s in the upper section of the painting, where at the left the American's nonchalant playing around with quotations from the European tradition is exemplified in the two Giacometti sculptures and the hazy paraphrase of a Watteau painting. And in the lower part, this artistic scenery is contrasted with the manneristic artificiality of the contorted nudes in grisaille tecnique. Both sections present artificial attitudes, be it the quotations in the upper part or the unnatural poses in the lower part. Everything becomes hollow, untrue, empty shells devoid of life, derivative imitation reality which has taken the place of real life. If we want to take this as a point of departure for an interpretation, we could call it an incapacity for hale and vital sensuality —whether it be in the creative work of the artist, or, on a general plane, in sexuality. The former is no longer anything more than repetition, quotations from what has gone before; the latter is artificial manneristic posing, without even a vestige of vitality.

In the watercolors, sketchily delineated faces are often combined with nudes spread over the entire surface area in lascivious sensuousness. Conversations between males, their discussions and rounds of drinks in taverns, apathetic and melancholy human relations, and banal everyday situations —they all turn into lifeless and unreal stage settings upon which the reality of imagination is superimposed. Things that take place inside the brain and remain secret underneath the blanket of middle-class propriety are revealed here under the glare of the spotlights and become more real than everyday actuality.

This intermeshing of space and time, of different levels of reality, of imagination and actuality, is a general characteristic of Salle's pictorial method, the intention of which is to disconcert by means of destroying all certainties and giving the lie to every absolute statement. Nothing remains beyond doubt, nothing can lay claim to general validity, neither any style nor any technique nor any content nor even the slightest detail. The one assertion discredits the other. Everything is true, nothing jibes. A modern attitude toward life? That too, without a doubt, but Salle remains consistent in not giving himself away and presenting the viewer with impeccable stagings derived from the preformulated repertoire of familiar paintings from classical art and the subculture, behind which he himself disappears as an individual. What remains behind are irritating paintings whose conceptual and technical quality only make up a minor part of their significance within the contemporary art scene.

* This essay was first published (with slight alterations) in *Kunst und Antiquitäten,* Vol. III, 1987, p. 100 ff.

NOTES

1 Cf. Ernest A. Busche, «David Salle. Arbeiten auf Papier», in: exhib. cat. *David Salle, Arbeiten auf Papier* (Dortmund, Aarhus, Boston, 1986/87, p. 9 f.
   Regarding this problem in general, see also: Ingrid Rein, «A real sexy work, Zu den Arbeiten von David Salle», in: exhib. cat. *David Salle – Francis Picabia* (Munich, 1983).
2 This reference is taken from Peter Schjedahl, «David Salle», in: exhib. cat. *David Salle, Sieben Bilder* (Cologne, 1985).
3 Ibíd.

contrasta con el artificioso manierismo de los retorcidos desnudos en grisalla. Ambas secciones presentan actitudes artificiales, ya por las citas del panel superior ya por las posturas muy poco naturales de la parte inferior. Todo se torna hueco, falso, conchas vacías sin vida, la imitación de la realidad ha ocupado el lugar de la vida real. Si tomamos esto como punto de partida, lo podríamos llamar incapacidad de alcanzar una sensualidad sana y vital —tanto en las creaciones del artista como, en general, en la sexualidad. Lo primero ya no es únicamente una repetición, citas de lo que ya ha pasado; lo segundo es una pose artificial y manierista, sin tan siquiera un vestigio de vitalidad.

En las acuarelas, se combinan a menudo caras esbozadas con desnudos que yacen sobre toda la superficie y de los que emana una sensualidad lujuriosa. Las conversaciones entre los hombres, sus charlas y rondas en las tabernas, las apáticas y melancólicas relaciones humanas y la banalidad de los hechos cotidianos se convierten en partes integrantes de un escenario irreal e inerte al que se superpone la realidad de la imaginación. Lo que ocurre dentro del cerebro acaba siendo un secreto al amparo de las convenciones sociales de la clase media, pero queda aquí al descubierto bajo el resplandor de las luces de los focos, y se torna más real que la realidad cotidiana.

Esta interacción de espacio y tiempo, de distintos estadios de realidad, de imaginación y cotidianeidad, es una característica general del método pictórico de Salle, y su objetivo es desconcertarnos al destruir toda certeza y al presentarnos la mentira de toda afirmación absoluta. No queda nada que no pueda ser puesto en duda, nada puede afirmar una validez general, ni ningún estilo ni ninguna técnica ni contenido, ni siquiera el más mínimo detalle. Una afirmación contradice a otra. Todo es verdad, nada coincide. ¿Una actitud moderna hacia la vida? Sin duda, pero Salle se empeña en no descubrirse, y le presenta al observador puestas en escena implacables derivadas de un repertorio previamente formulado de cuadros conocidos del arte clásico y de la cultura de masas, tras el cual él desaparece como individuo. Lo que queda son cuadros exasperantes cuya cualidad conceptual y técnica sólo es una parte muy pequeña de su importancia dentro del panorama del arte contemporáneo.

CARLA SCHULZ-HOFFMANN
Traducción de Africa Vidal

* Este artículo se publicó por primera vez (con pequeñas modificaciones) en *Kunst und Antiquitäten,* vol. III, 1987, p. 100 ss.

NOTAS

1 Cf. Ernest A. Busche, «David Salle. Arbeiten auf Papier», en el catálogo de la exposición *David Salle. Arbeiten auf Papier* (Dortmund, Aarhus, Boston, 1986/87), p. 9 ss. Respecto a esta cuestión en general, véase también Ingrid Rein, «A real sexy work, Zu den Arbeiten von David Salle», en el catálogo de la exposición *David Salle-Francis Picabia* (Munich, 1983).
2 Esta referencia está tomada de Peter Schjedahl, «David Salle», en el catálogo de la exposición *David Salle, Sieben Bilder* (Colonia, 1985).
3 Ibid.

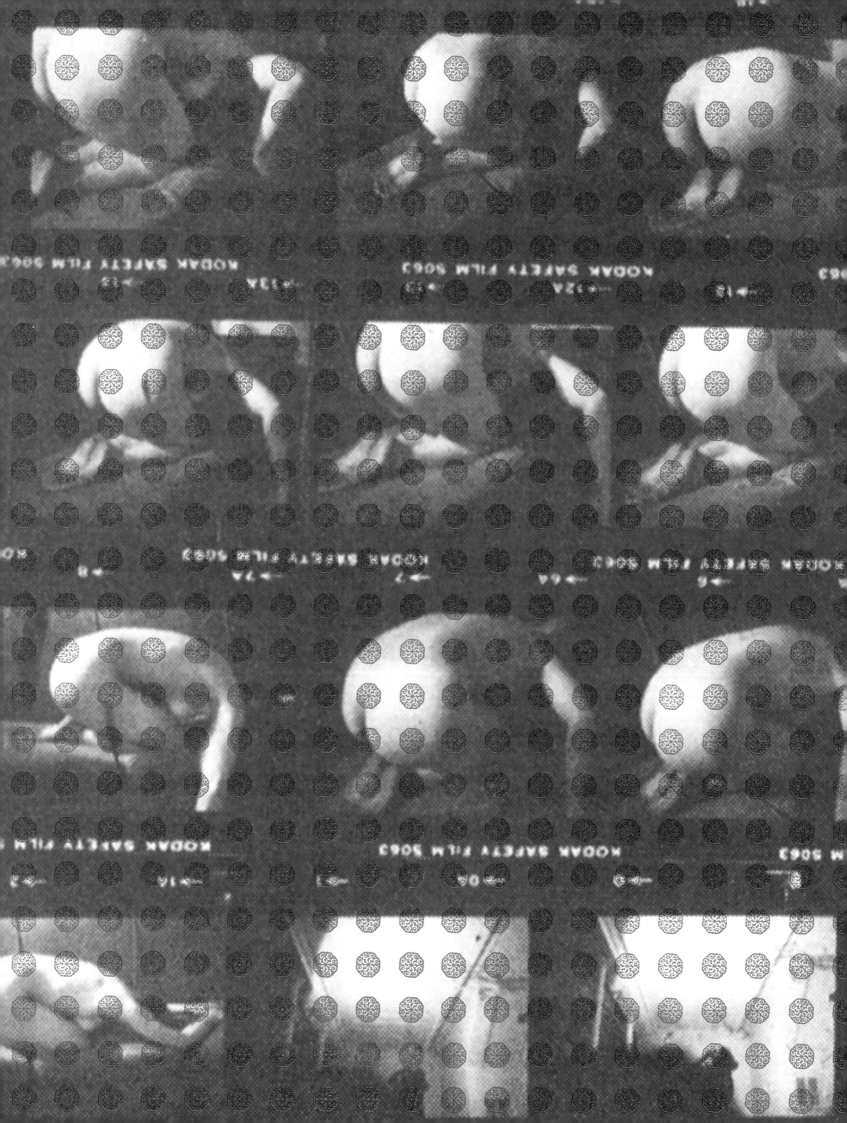

ALBUM

ALBUM

Para saber cómo es la cara de los cíclopes, lo mejor es preguntárselo a Góngora. Escuchemos a Polifemos, en el momento en que, al contemplarse en el agua, descubre su rostro:

miréme y lucir vi un sol en mi frente
cuando en el cielo un ojo se veía
neutra el agua dudaba a cual fe preste:
o al cielo humano o al cíclope celeste.

Polifemo ve su cara disforme como *otro* firmamento. Transformaciones: el ojo del culo: el del cíclope: el del cielo. El sol disuelve la dualidad cara y culo, alma y cuerpo, en una sola imagen, deslumbrante y total. Recobramos la antigua unidad pero esa unidad no es animal ni humana sino ciclópea, mítica.

To know what cyclops faces are like, the best is to ask Góngora. Let us listen to Poliphemus at the very moment when, contemplating himself in the water, he discovers his face:

I looked at myself and saw a sun shining in my forehead
while an eye was visible in the sky
the neutral water doubted which was real:
the human sky or the celestial Cyclops.

Polyphemus sees his deformed face as *another* firmament. Transformations: the «eye» of the ass —that of the Cyclops— that of the sky. The sun dissolves the face-ass, soul-body dualism in a single dazzling, total image. We regain our former unity, but this unity is neither animal nor human; it is Cyclopean, mythical.

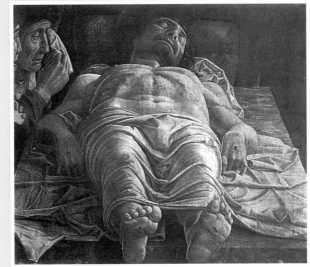

1

2

3

4

5

6

7

8

51

1

3

4

5

52

2

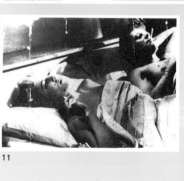

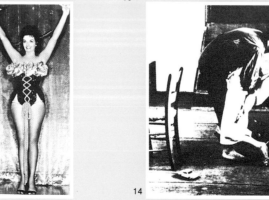

8

7

9

11

12

6

13

14

15

16

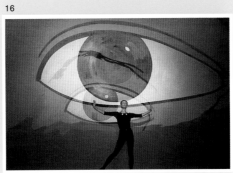

17

19

18

20

1

FAIRBANK'S CHERUBS.

2

3

4

54

5

6

7

8

9

10

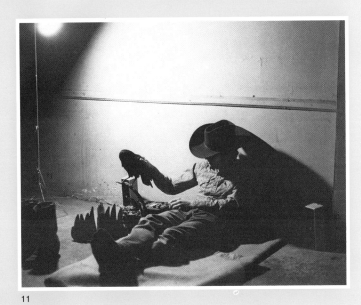

11

12

13

14

15

16

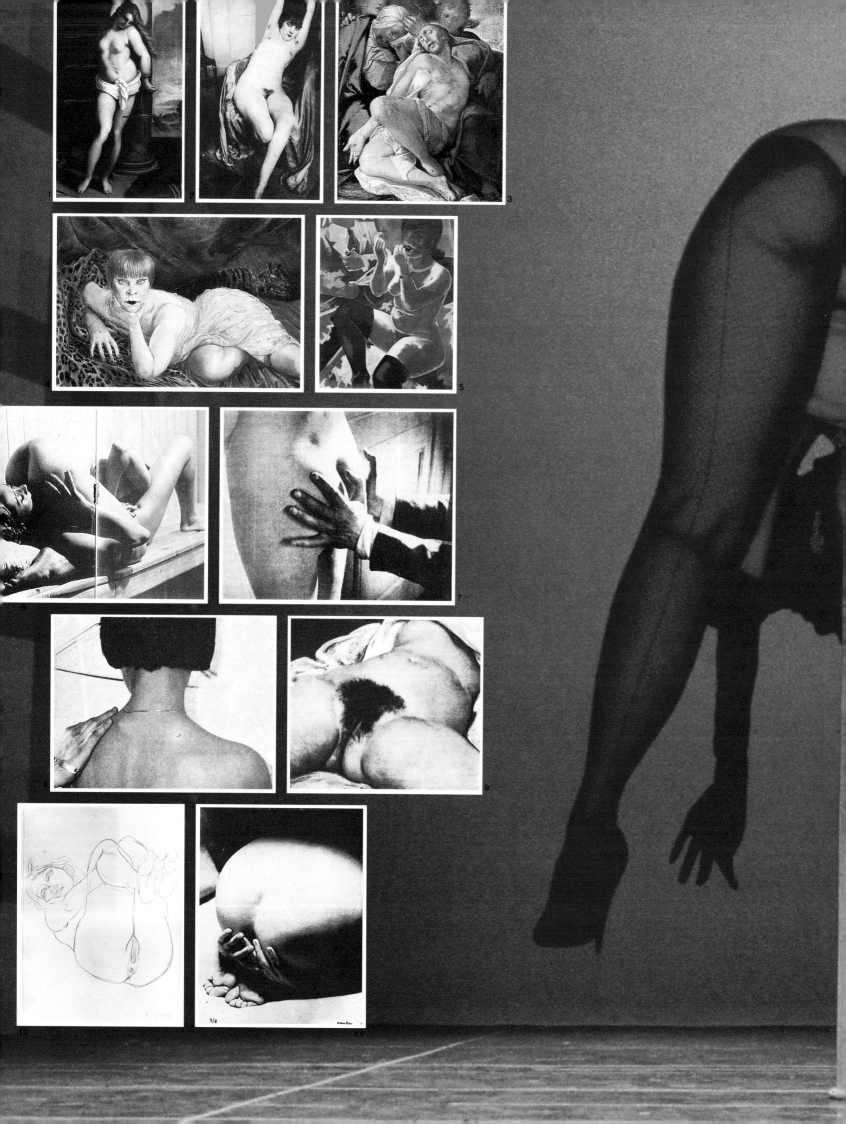

2

1

58

3

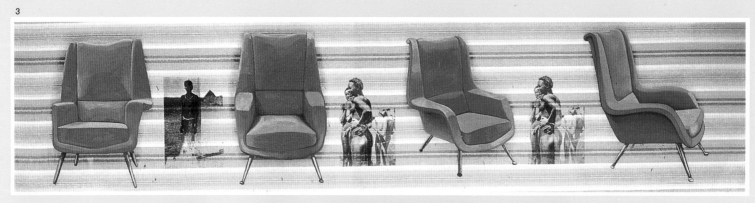

4

5

6

7

1

60

2

3

4

El espejo decidió reflejar sólo lo que veía
Que fue suficiente para su propósito: su imagen
Barnizada, embalsamada, proyectada en un ángulo de 180 grados

The glass chose to reflect only what he saw
Which was enough for his purpose: his image
Glazed, embalmed, projected at one hundred and eighty-degree

CATALOGO

Pinturas

Acuarelas

CATALOGUE

Paintings

Watercolors

1

WE'LL SHAKE THE BAG, 1980
SACUDIREMOS EL SACO

ACRILICO SOBRE LIENZO
122 × 183 cm
COLECCION ELLEN Y ELLIS KERN, NUEVA YORK
CORTESIA MARY BOONE GALLERY, NUEVA YORK

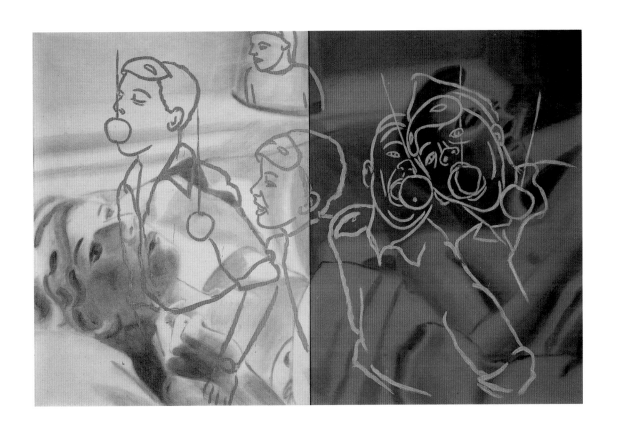

2

THE BURNING BUSH, 1982

LA ZARZA ARDIENTE

OLEO Y ACRILICO SOBRE LIENZO

234 × 300 cm

COLECCION BRUNO Y CHRISTINA BISCHOFBERGER, KÜSNACHT, ZÜRICH

CORTESIA GALERIE BRUNO BISCHOFBERGER ZÜRICH

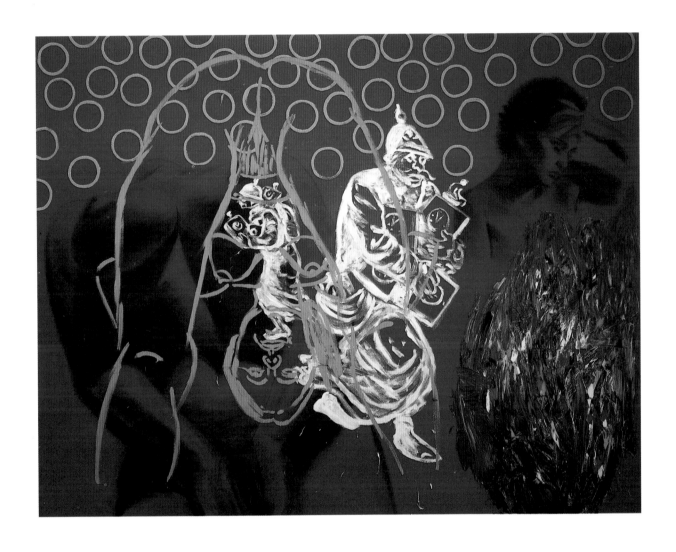

69

3

GOOD BYE D., 1982

ADIOS D.

ACRILICO SOBRE LIENZO
284,5 × 218,5 cm
VIRGINIA MUSEUM OF FINE ARTS, RICHMOND, VIRGINIA
DONACION DE LA FUNDACION SYDNEY Y FRANCES LEWIS
CORTESIA MARY BOONE GALLERY, NUEVA YORK

4

KING KONG, 1983
KING KONG

ACRILICO, BOMBILLA Y OLEO SOBRE LIENZO, MADERA
312,5 × 244 × 66 cm
COLECCION PETER M. BRANT, GREENWICH, CONNECTICUT
CORTESIA MARY BOONE GALLERY, NUEVA YORK

5

TENNYSON, 1984

TENNYSON

ACRILICO Y OLEO SOBRE LIENZO

198 × 297 cm

COLECCION PRIVADA, NUEVA YORK

CORTESIA MARY BOONE GALLERY, NUEVA YORK

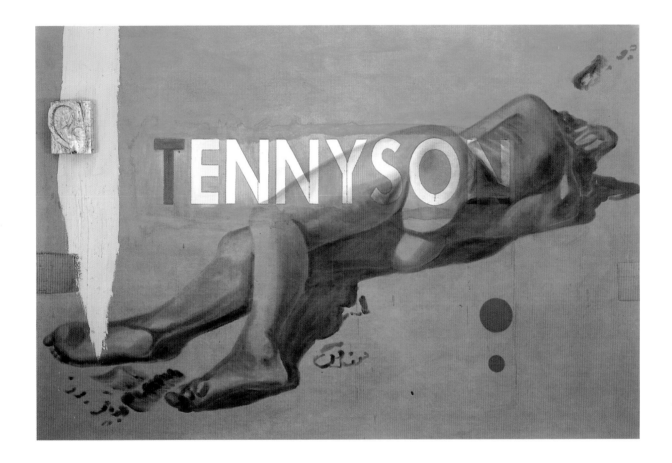

6

AN AGREEMENT, 1984

UN ACUERDO

OLEO, ACRILICO Y LAPIZ SOBRE PAPEL CON CERA DE VELA, MARCO DE MADERA

169 × 230 cm

COLECCION PRIVADA, ZÜRICH

CORTESIA GALERIE BRUNO BISCHOFBERGER, ZÜRICH

78

THE MILLER'S TALE, 1984

EL CUENTO DEL MOLINERO

OLEO, ACRILICO Y PLOMO SOBRE LIENZO Y MADERA
214 × 351 cm
COLECCION ADRIAN Y ROBERT MNUCHIN, NUEVA YORK
CORTESIA MARY BOONE GALLERY, NUEVA YORK

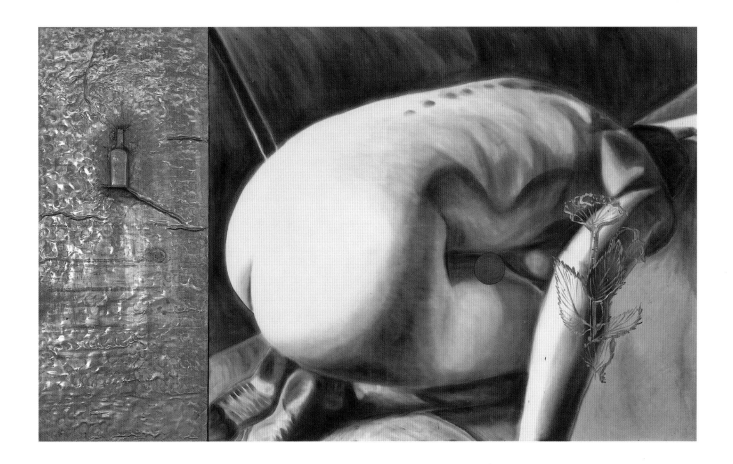

FOOLING WITH YOUR HAIR, 1986

JUGUETEANDO CON TU PELO

OLEO SOBRE LIENZO

224 × 458 cm

COLECCION DEL ARTISTA, NUEVA YORK

CORTESIA MARY BOONE GALLERY, NUEVA YORK

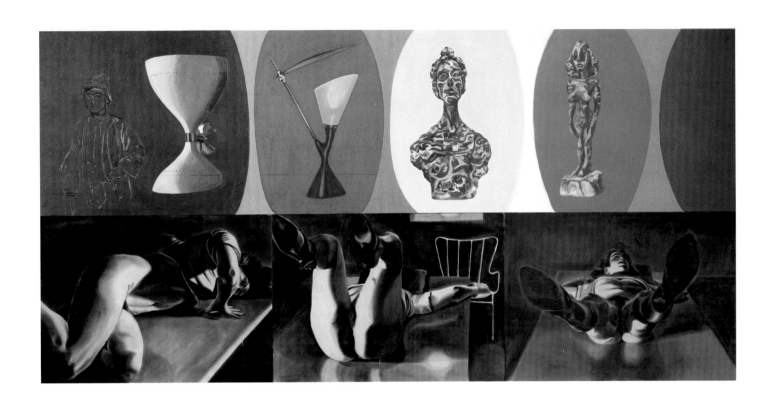

9

LOST BARN PROCESS, 1985

EL PROCESO DE LA GRANJA PERDIDA

ACRILICO Y OLEO SOBRE LIENZO

228 × 254 cm

COLECCION ADRIAN Y ROBERT MNUCHIN, NUEVA YORK

CORTESIA MARY BOONE GALLERY, NUEVA YORK

10

WHITEWASH, 1986

CAL

ACRILICO Y OLEO SOBRE LIENZO

213 × 152 cm

COLECCION PRIVADA, NUEVA YORK

CORTESIA MARY BOONE GALLERY, NUEVA YORK

11

SALTIMBANQUES, 1986
SALTIMBANQUIS

ACRILICO Y OLEO SOBRE LIENZO
152 × 254 cm
COLECCION JOSEPH E. McHUGH, CHICAGO
CORTESIA MARY BOONE GALLERY, NUEVA YORK

12

COLONY, 1986

COLONIA

ACRILICO Y OLEO SOBRE LIENZO

239 × 245 cm

COLECCION LEON HECHT Y ROBERT PINCUS-WITTEN, NUEVA YORK

CORTESIA MARY BOONE GALLERY, NUEVA YORK

13

MARKING THROUGH WEBERN, 1987

ANOTACIONES SEGUN WEBERN

ACRILICO Y OLEO SOBRE LIENZO, MADERA, UNA SILLA

290 × 366 × 119 cm

COLECCION DEL ARTISTA, NUEVA YORK

CORTESIA MARY BOONE GALLERY, NUEVA YORK

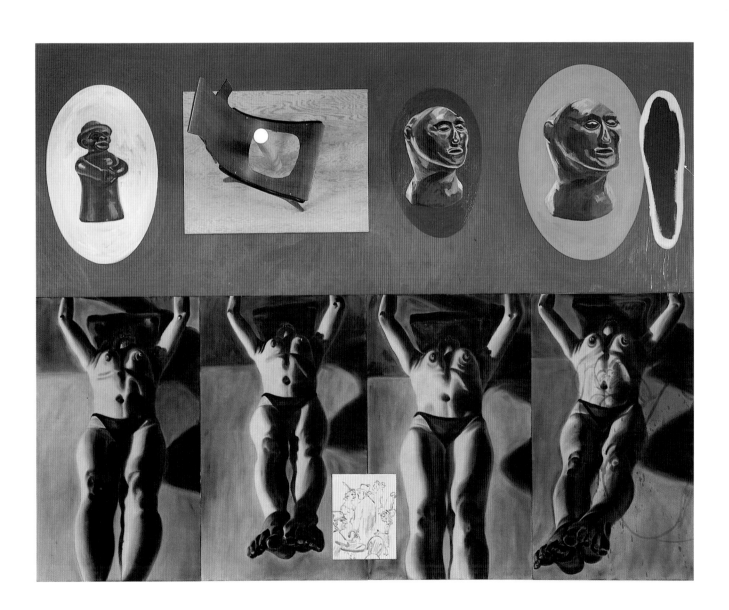

14

EPAULETTES FOR WALT KUHN, 1987

HOMBRERAS PARA WALT KUHN

ACRILICO Y OLEO SOBRE LIENZO, LINO

244 × 339 cm

COLECCION SUSAN Y LEWIS MANILOW, CHICAGO

CORTESIA MARY BOONE GALLERY, NUEVA YORK

15

SYMPHONY CONCERTANTE II, 1987

SINFONIA CONCERTANTE II

ACRILICO Y OLEO SOBRE LIENZO, LINO FOTOSENSIBILIZADO
198 × 244 cm
COLECCION ELLYN Y SAUL DENNISON, BERNARDSVILLE, NUEVA JERSEY
CORTESIA MARY BOONE GALLERY, NUEVA YORK

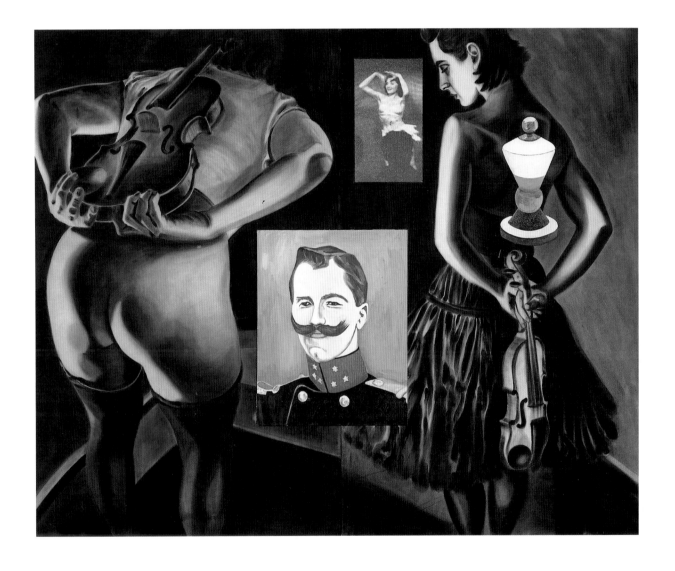

16

THE WIG SHOP, 1987

LA PEINADORA

ACRILICO Y OLEO SOBRE LIENZO

198 × 244 cm

COLECCION RAYMOND J. LEARSY, SHARON, CONNECTICUT

CORTESIA MARY BOONE GALLERY, NUEVA YORK

17

98

DEMONIC ROLAND, 1987
ROLANDO EL DEMONIACO

ACRILICO Y OLEO SOBRE LIENZO
238 × 345 cm
COLECCION ELI Y EDYTHE L. BROAD, LOS ANGELES
CORTESIA MARY BOONE GALLERY, NUEVA YORK

18

MELODY BUBBLES, 1988

BURBUJAS DE MELODIAS

ACRILICO Y OLEO SOBRE LIENZO

198 × 244 cm

COLECCION NORMAN E IRMA BRAMAN, MIAMI, FLORIDA

CORTESIA MARY BOONE GALLERY, NUEVA YORK

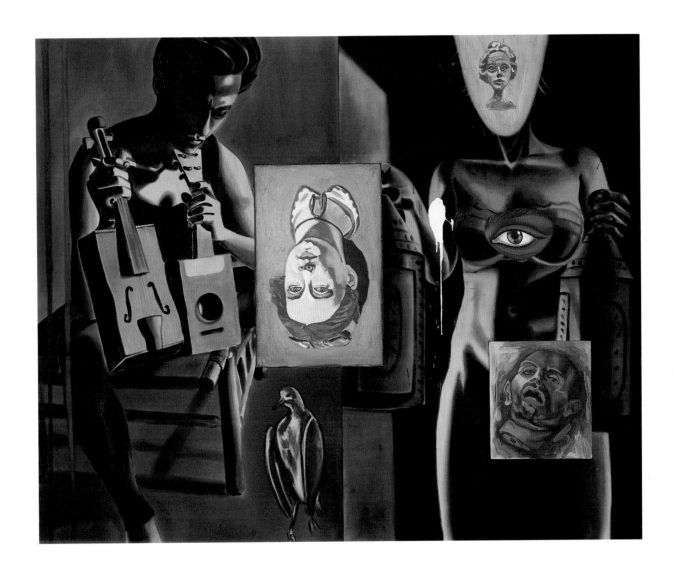

19

THE SUN-DIAL, 1988

EL RELOJ DE SOL

ACRILICO Y OLEO SOBRE LIENZO
198 × 224 cm
COLECCION PRIVADA, NUEVA YORK
CORTESIA MARY BOONE GALLERY, NUEVA YORK

20

PRESSED-IN STURGES, 1988

STURGES SUPERPUESTOS

ACRILICO Y OLEO SOBRE LIENZO, LINO FOTOSENSIBILIZADO

290 × 323 cm

COLECCION MARY BOONE GALLERY, NUEVA YORK

1
SIN TITULO, 1983
UNTITLED
Acuarela sobre papel
45,5 × 60,5 cm
Colección H. Freund, Nueva York
Cortesía Mary Boone Gallery, Nueva York

2
SIN TITULO, 1983
UNTITLED
Acuarela sobre papel
45,5 × 60,5 cm
Colección Robert Lehrman, Washigton D.C.

3
SIN TITULO, 1983
UNTITLED
Acuarela sobre papel
45,5 × 60,5 cm
Colección privada, Hamburgo
Cortesía Ascan Crone, Hamburgo

4
SIN TITULO, 1984
UNTITLED
45,5 × 60,5 cm
Cortesía Galería Bruno Bischofberger, Zürich

5
SIN TITULO, 1984
UNTITLED
Acuarela sobre papel
45,5 × 60,5 cm
Colección Pam Keld, Nueva York
Cortesía Mary Boone Gallery, Nueva York

6
SIN TITULO, 1984
UNTITLED
Acuarela sobre papel
45,5 × 60,5 cm
Colección privada
Cortesía Mary Boone Gallery, Nueva York

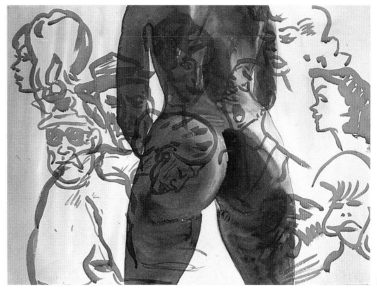

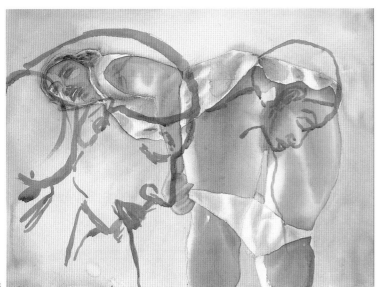

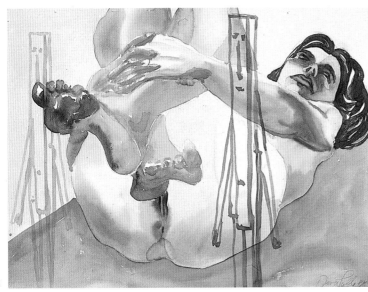

7

SIN TITULO, 1984

UNTITLED

Acuarela sobre papel

45,5 × 60,5 cm

Colección David Whitney

8

SIN TITULO, 1984

UNTITLED

Acuarela sobre papel

45,5 × 60,5 cm

Colección John Sacchi, Nueva York

Cortesía Mary Boone Gallery, Nueva York

9

SIN TITULO, 1984

UNTITLED

Acuarela sobre papel

45,5 × 60,5 cm

Cortesía Galería Bruno Bischofberger, Zürich

10

SIN TITULO, 1984

UNTITLED

Acuarela sobre papel

45,5 × 60,5 cm

Colección First Bank of Minneapolis, Minneapolis

Cortesía Mary Boone Gallery, Nueva York

11

SIN TITULO, 1984

UNTITLED

Acuarela sobre papel

45,5 × 60,5 cm

Colección del artista, Nueva York

Cortesía Mary Boone Gallery, Nueva York

12

SIN TITULO, 1984

UNTITLED

Acuarela sobre papel

45,5 × 60,5 cm

Colección Raymond J. Learsy, Nueva York

Cortesía Mary Boone Gallery, Nueva York

7

8

9

10

11

12

13
SIN TITULO, 1986
UNTITLED

Acuarela sobre papel

48,5 × 75 cm

Colección Jan Eric Lowenadler, Nueva York

Cortesía Mary Boone Gallery, Nueva York

14
SIN TITULO, 1986
UNTITLED

Acuarela sobre papel

52 × 75 cm

Colección David Whitney

15
SIN TITULO, 1986
UNTITLED

Acuarela sobre papel

48,5 × 75 cm

Colección Mr. y Mrs. E. Rudge Allen, Houston

Cortesía Mary Boone Gallery, Nueva York

16
SIN TITULO, 1987
UNTITLED

Acuarela sobre papel

48,5 × 75 cm

Colección Michael J. Kline/Nancy Robertson, Nueva York

Cortesía Mary Boone Gallery, Nueva York

17
SIN TITULO, 1987
UNTITLED

Acuarela sobre papel

48,5 × 75 cm

Colección Mr. y Mrs. Richard S. Lane

Cortesía Mary Boone Gallery, Nueva York

13

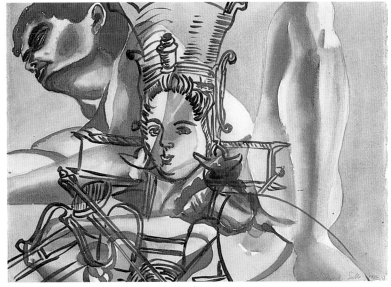

14

15

16

17

VENTURI

CONVERSATIONAL

ITALIAN

USEFUL PHRASEOLOGY FOR TRAVEL

DOCUMENTACION

DOCUMENTATION

BALLETS

THE BIRTH OF THE POET
EL NACIMIENTO DEL POETA

Opera
Director: Richard Foreman
Libreto: Kathy Acker
Música: Peter Gordon
Decorados y vestuario: David Salle
Iluminación: Pat Collins
Sonido: Otts Munderloh

Brooklyn Academy of Music
Next Wave Festival 1985
Estreno: 3 de diciembre de 1985

El nacimiento del poeta fue presentada
en el Ro Thater de Rotterdam en abril de 1984

THE MOLLINO ROOM
LA HABITACION DE MOLLINO

Coreografía: Karole Armitage para el American Ballet Theater
Decorados y vestuario: David Salle
Estreno mundial: Kennedy Center, Washington D.C.,
10 de abril de 1986

THE ELIZABETHAN PHRASING OF THE LATE ALBERT AYLER
LA FRASEOLOGIA ISABELINA DEL DIFUNTO
ALBERT AYLER

Coreografía: Karole Armitage
Decorados y vestuario: David Salle
Estreno: en Eindhoven, Holanda, el 25 de septiembre de 1986

THE TARNISHED ANGELS
LOS ANGELES SIN BRILLO

Coreografia: Karole Armitage
Decorados: David Salle
Vestuario: Christian Lacroix
Estreno: Doolittle Theater, Los Angeles Festival,
10 de septiembre de 1987

THE BIRTH OF THE POET
EL NACIMIENTO DEL POETA

Fotos y © Jean Kallina

THE ELIZABETHAN PHRASING OF THE LATE ALBERT AYLER
LA FRASEOLOGIA ISABELINA DEL DIFUNTO ALBERT AYLER

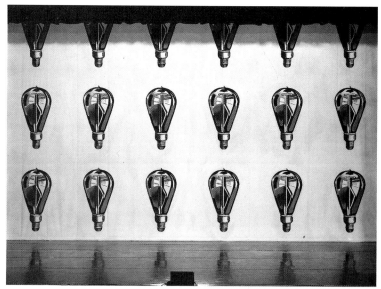

THE ELIZABETHAN PHRASING OF THE LATE ALBERT AYLER
LA FRASEOLOGIA ISABELINA DEL DIFUNTO ALBERT AYLER

THE MOLLINO ROOM
LA HABITACION DE MOLLINO

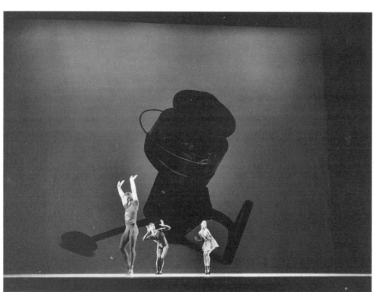

THE TARNISHED ANGELS
LOS ANGELES SIN BRILLO

25 DAVID SALLE EN SU ESTUDIO DELANTE DE «BLUE ROOM», 1982
David Salle in his studio in front of «Blue Room»

FIESTA DE CUMPLEAÑOS, SAGAPONACK, 1987
Birthday party, Sagaponack

26 APRIL GORNICK, ROSS BLECKNER, DAVID SALLE
Y DOROTHY LICHTENSTEIN

27 FREDERIK TUTEN Y DAVID SALLE

28 ERIC FISCHL, ROY Y DOROTHY LICHTENSTEIN

DAVID SALLE

Nace en Norman, Oklahoma, 1952.
Estudios: California Institute of the Arts, Valencia, California, 1973, BFA.
California Institute of the Arts, Valencia, California, 1975, MFA.
Vive en Nueva York.

Born in Norman, Oklahoma, 1952.
Education: California Institute of the Arts, Valencia, California, 1973, BFA.
California Institute of the Arts, Valencia, California, 1975, MFA.
Lives in New York.

EXPOSICIONES exhibitions

EXPOSICIONES INDIVIDUALES   One-man exhibitions

1975 CAMBRIDGE, Massachusetts: Project, Inc.
LOS ANGELES, California: Claire S. Copley Gallery.
1976 GRONINGEN: Foundation Corps de Garde.
NUEVA YORK: Artists Space.
1977 AMSTERDAM: Foundation de Appel.
NUEVA YORK: The Kitchen.
1978 GRONINGEN: Foundation Corps de Garde.
1979 NOVA SCOTIA: Nova Scotia College of Arts and Design.
NUEVA YORK: Gagosian/Nosei-Weber Gallery.
NUEVA YORK: The Kitchen.
1980 AMSTERDAM: Foundation de Appel.
NUEVA YORK: Annina Nosei Gallery.
ZURICH: Galerie Bischofberger.
1981 NUEVA YORK: Mary Boone Gallery.
LOS ANGELES, California: Larry Gagosian Gallery.
NAPOLES: Lucio Amelio Gallery.
1982 ROMA: Mario Diacono Gallery.
NUEVA YORK: Mary Boone Gallery/Leo Castelli Gallery.
ZURICH: Galerie Bischofberger.
LONDRES: Anthony d'Offay Gallery.
AMSTERDAM: American Graffiti Gallery.
1983 TOKYO: Akira Ikeda Gallery.
ST. LOUIS, Missouri: Ronald Greenberg Gallery.
ROTTERDAM: Museum Boymans-van Beunigen.
NUEVA YORK: Mary Boone Gallery.
NUEVA YORK: Castelli Graphics.
HAMBURGO: Galerie Ascan Crone.
MUNICH: Galerie Schellman and Kluser.
ANDOVER, Massachusetts: Addison Gallery of American Art.
LOS ANGELES, California: Larry Gagosian Gallery.
1984 NUEVA YORK: Leo Castelli Gallery.
ROMA: Mario Diacono Gallery.
ZURICH: Galerie Bischofberger.
1985 HOUSTON, Texas: Texas Gallery.
PARIS: Galerie Daniel Templon.
NUEVA YORK: Mary Boone Gallery.
CHICAGO, Illinois: Museum of Contemporary Art.
COLONIA: Galerie Michael Werner.
CHICAGO, Illinois: Donald Young Gallery.
1986 NUEVA YORK: Leo Castelli Gallery.
BOSTON, Massachusetts: Mario Diacono Gallery.
NUEVA YORK: Castelli Graphics.
DORTMUND: Museum am Ostwall.
FILADELFIA, Pennsylvania: Institute of Contemporary Art.
BOSTON, Massachusetts: Institute of Contemporary Art.
1987 NUEVA YORK: Whitney Museum.
LOS ANGELES, California: Museum of Contemporary Art.
TORONTO: Art Gallery of Ontario.
CHICAGO, Illinois: Contemporary Art Museum.
NUEVA YORK: Mary Boone Gallery.
EDIMBURGO: The Fruitmarket Gallery.
ZURICH: Galerie Bischofberger.
TOKYO: Spiral/Wacoal Art Center.
1988 NUEVA YORK: Mary Boone Gallery.
HOUSTON, Texas: The Menil Collection.
MADRID: Fundación Caja de Pensiones.
1989 MUNICH: Bayerische Staatsgemaldesammlungen Munchen.
TEL AVIV: Tel Aviv Museum of Art.

EXPOSICIONES COLECTIVAS   Group exhibitions

1974 LOS ANGELES, California: «Conceptual Performance», California State College.
WALNUT, California: «Word Works», Mount Saint Antonio College.
CAMBRIDGE, Massachusetts: «Indian Summer», Project, Inc.
1975 LONG BEACH, California «Southland Video Anthology»: Long Beach Beach Museum of Art; PORTLAND, Oregón: Portland Center for the Visual Arts; NUEVA YORK: The Kitchen.
1976 NUEVA YORK: «New Talent Invitational», Auction 393.
1977 AMSTERDAM: «Locations», Serial Gallerie.
BUFFALO, Nueva York: Hallwalls.
NUEVA YORK: «New Art Auction and Exhibition», Artists Space.
1978 GRONIGER: «Summerfestival», Groniger Museum.
1979 MILAN: «Recognizable Images», Studio Cannaviello.
NUEVA YORK: Hal Bromm Gallery.

SAN FRANCISCO: California: «Masters of Love», 80 Langton Street.
HARTFORD, Connecticut: «Imitation of Life», Joseloff Gallery, Hartford Art School.
1980 NUEVA YORK: Mary Boone Gallery.
PARIS: «L'Amérique aux Indépendants», Grand Palais.
MILAN: «Nuova Imagine».
NUEVA YORK: «Drawings», Mary Boone Gallery.
ST. ETIENNE: «Après le classicisme», Musée d'Art et Industrie et Maison de la Culture.
MILAN: «Horror Pleni: Give me time to look, Pictures in New York Today», Paviglione d'Art Contemporanea.
NUEVA YORK: «Illustration and Allegory», Brooke Alexander Gallery.
1981 NUEVA YORK: Annina Nosei Gallery.
OBERLIN, Ohio: «Young Americans», Allen Memorial Art Museum.
COLONIA: «Westkunst: Heute», Museum der Stadt Koln.
NUEVA YORK: Mary Boone Gallery.
NUEVA YORK: Sperone, Westwater, Fischer Gallery.
VALENCIA California: «Exhibition», California Institute of the Arts.
BUFFALO, Nueva York: «Figures, Forms, and Expressions», Albright-Knox Museum.
CAMBRIDGE, Massachusetts: «Body Language», Hayden Gallery, MIT.
NUEVA YORK: Mary Boone Gallery.
LONDRES: Nigel Greenwood Gallery.
DALLAS, Texas: Mattingly-Baker Gallery.
NUEVA YORK: «Return to Artists Space», Artists Space.
PRINCETON, New Jersey: «Aspects of Post Modernism», Squibb Gallery.
GOTEBORG: «U.S. Art Now», Goteborgs Konstmuseum.
NUEVA YORK: Bard College, Annandale.
1982 NUEVA YORK: «Art and Anomie», Josef Gallery.
NUEVA YORK: «Series and Editions», The New York Public Library.
NUEVA YORK: «Focus on the Figure: Twenty Years», The Whitney Museum of American Art.
MINNEAPOLIS, Minnesota: «The Anxious Edge», Walker Art Center.
ATLANTA, Georgia: «Figurative Images: Aspects of Recent Art», Georgia State University.
SAN DIEGO, California: «Body Language», University Art Gallery, San Diego State University.
LA JOLLA, California: «Castelli and His Artists», Museum of Contemporary Art.
CHICAGO, Illinois: «Art and the Media», Renaissance Society.
ROMA: «Avanguardia Transvanguardia», Mura Aureliane.
CHICAGO, Illinois: «74th American Exhibition», The Chicago Art Institute.
KASSEL: «Dokumenta 7».
VENECIA: La Biennale di Venezia.
NUEVA YORK: «The Pressure to Paint», Marlborough Gallery.
MODENA: «Avanguardia Transvanguardia», Galleria Civica.
RIDGEFIELD, Connecticut: «Homo Sapiens», The Aldrich Museum.
ZURICH: Bruno Bischofberger Gallery.
LONDRES: Anthony d'Offay Gallery.
NUEVA YORK: «Fast», Alexander Milliken Gallery.
NUEVA YORK: Leo Castelli Gallery.
HOUSTON, Texas: «The Americans: Collage 1950-1982», Contemporary Arts Museum.
FORT WORTH, Texas: «Body Language», The Fort Worth Art Museum.
BERLIN: «Zeitgeist».
NUEVA YORK: «The Expressionist Image: American Art from Pollack to Today», Sidney Janis Gallery.
HANOVER: «New York Now», Kestner-Gesellschaft.
NORFOLK, Virginia: «Still Modern After All These Years», Chrysler Museum.
NEWPORT BEACH, California: «Shift», Newport Beach Museum of Art.
MILWAUKEE, Wisconsin: «New Figuration in America», Milwaukee Art Museum.
FILADELFIA, Pennsylvania: «Image Scavengers», Institute of Contemporary Art.
1983 ESTOCOLMO: «En Internationell Samling», Stiftelsen Karlsvik 10.
AMHERST, Massachusetts: «The Figure Beside Itself», University Gallery, University of Massachusetts.
NUEVA YORK: «Big American Figure Drawings», School of Visual Arts.
NUEVA YORK: «The Whitney Biennial», The Whitney Museum of American Art.
DUSSELDORF: «New York Now», Kunstverein für die Rheinlande und Westfalen.
NUEVA YORK: «Intoxication», Monique Knowlton Gallery.
STANFORD, Connecticut: «Entering the Eighties», The Whitney Museum of American Art.
WASHINGTON D.C.: «Directions 1983», The Hirshhorn Museum.

KALAMAZOO, Michigan: «New Image/Pattern and Decoration», Kalamazoo Institute of Arts.
DALLAS, Texas: Mattingly/Baker Gallery.
NUEVA YORK: «From Minimalism to Expressionism», The Whitney Museum of American Art.
NUEVA YORK: «Drawing», Leo Castelli Gallery.
MADRID: «Tendencias en Nueva York», Palacio de Cristal.
NUEVA YORK: «Artist/Critic», White Columns.
TOKYO: «Mary Boone and Her Artists», Seibu Gallery.
SAO PAULO: Sao Paulo Bienalle.
LONDRES: «New Art», The Tate Gallery.
NUEVA YORK: «Comic Art», The Whitney Downtown.
PURCHASE, Nueva York: «Shift: LA/NY», Neuberger Museum.
NUEVA YORK: «New Editions», Pace Gallery.
NUEVA YORK: «Paintings», Mary Boone Gallery.
LUCERNA: «Back to the USA», Kunstmuseum Luzern.
WASHINGTON D.C.: «Content», Hirshhorn Museum.
1984 NUEVA YORK: «Modern Expressionists», Sidney Janis Gallery.
RIDGEFIELD, Connecticut: «American Neo-Expressionists», Aldrich Museum of Contemporary Art.
CHAMPAIGN, Illinois: «New Painting», Krannert Art Museum.
MONTREAL: «New Art», Musée d'Art Contemporain.
GREENVILLE, Carolina del Sur: «Andrew Wyeth: A Trojan Horse Modernist», Greenville Conty Museum of Art.
NUEVA YORK: «An International Survey of Contemporary Painting and Sculpture», Museum of Modern Art.
NUEVA YORK: «Artists Choose Artists III», CDS Gallery.
NUEVA YORK: «Salle/Clemente/Hunt», Blum Helman Gallery.
NUEVA YORK: «A Decade of New Art», Artists Space.
NAGOYA: «Painting Now», Akira Ikeda Gallery.
NUEVA YORK: «Drawings», Mary Boone Gallery.
SAN FRANCISCO, California: «The Human Condition: SFMAA Biennial III», San Francisco Museum of Modern Art.
HAMBURGO: «Kapelle am Wegesrand», La Paloma.
SAN FRANCISCO, California: «50 Artists/50 States», Fuller Goldeen Gallery.
LOS ANGELES, California: «Is This a Natural World», Cirrus Gallery.
AQUISGRAN: «Aspekte Amerikanischer Kunst der Gegenwart», Neue Galerie Sammlung Ludwig.
NUEVA YORK: Paula Cooper Gallery.
KITAKYUSHU: «The Restoration of Painterly Figuration: Painting Now», Kitakyushu Municipal Museum of Art.
OBERLIN, Ohio: «Drawing After Photography», Allen Memorial Art Museum.
NUEVA YORK: «Collage Expanded», Visual Arts Museum.
TOKYO: «Polke, Salle, Clemente», Contemporary Art Gallery, Seibu Department Store.
DUBLIN: «Rosc'84», The Guinness Hop Store.
WASHINGTON D.C.: «Content», Hirshhorn Museum.
MEXICO: «La narrativa internacional de hoy», Museo Tamayo, Bosque de Chapultepec.
TURIN: «Ouverture», Castello di Rivoli.
1985 TORONTO: Sable Castelli Gallery.
NUEVA YORK: «Biennale», Whitney Museum of American Art.
PARIS: XIII Biennale de Paris, Grand Hall du Parc de la Villette.
MARSELLA: «New York '85», ARCAA.
NUEVA YORK: «Gallery Group», Leo Castelli Gallery.
LOS ANGELES, California: Daniel Weinberg Gallery.
PITTSBURGH, Pennsylvania: «Carnegie International», Museum of Art, Carnegie Institute.
LOS ANGELES, California: «Exhibition of Small Paintings and Sculptures», Larry Gagosian Gallery.
1986 FORT LAUDERDALE, Florida: «An American Renaissance, Painting and Sculpture Since 1940», Museum of Art.
SYDNEY: Biennale of Sydney.
NUEVA YORK: Leo Castelli Gallery.
CINCINNATI, Ohio: «Collection of Douglas S. Cramer», Cincinnati Art Museum.
EINDHOVEN: «Ooghoogte, 50 jaar later», Stedelijk van Abbemuseum.
COLONIA: «Europe/America», Ludwig Museum.
LOS ANGELES, California: «Still Life/Life Still», Michael Kohn Gallery.
FRANKFURT: «Prospect 86», Frankfurter Kunstverein.
1987 LOS ANGELES, California: «Avant Garde in the Eighties», Los Angeles County Art Museum.
PARIS: «L'époque, la morale, la passion», Centre Georges Pompidou.
RIDGEFIELD, New York: «Post-Abstract-Abstraction», The Aldrich Museum of Contemporary Art.
1988 SUOMI: «Contemporary American Art», The Sara Hilden Art Museum.

1974 BURGIN, Richard: «The impact of Conceptual Art at Project Inc.», The Boston Globe, 17 septiembre.
BAKER, Kenneth: «It's the Thought that Counts», The Boston Phoenix, 24 septiembre.
1975 ASKEY, Ruth: «On Video: Banality, Sex, Cooking», Artweek, 8 agosto.
1976 ROBBE, Lon de Vries: «David Salle», Museumjournal, septiembre.
1977 PATTON, Phil: «Other Voices, other Rooms: The Rise of the Alternative Space», Art in America, verano.
1979 BLECKNER, Ross: «Transcendent Anti-Fetishism», Artforum, marzo.
LAWSON, Thomas: «On Pictures, A Manifesto», Flash Art, abril.
ROBINSON, Walter: «Art Strategies for the '80's: A Guide to What's Hot», Adix, octubre.
ZIMMER, William: «Who Puts Women on a Pedestal?», Soho Weekly News, 15 noviembre.
RICKEY, Carrie: «Voice Choices: David Salle», The Village Voice, 21 noviembre.
TRATRANSKY, Valentin: «Intelligence and the Desiere to Draw: on David Salle», Real Life, noviembre.
1980 LAWSON, Thomas: «David Salle», Flash Art, enero-febrero, p. 37.
TATRANSKY, Valentin: «David Salle», Arts Magazine, febrero 1980, p. 37.
ROBINSON, Walter: «David Salle at Gagosian/Nosei-Weber», Art in America, marzo, p. 117.
OLIVA, Achille Bonito: «The Bewildered Image», Flash Art, marzo-abril (ilus: «Untitled» 1978, B/N).
PINCUS-WITTEN, Robert: «Entries: Big History, Little History», Arts Magazine, abril, p. 183.
PINCUS-WITTEN, Robert: «Entries: Palimpsest and Pentimenti», Arts Magazine, junio, pp. 128-131.
SALLE, David: «Images that Understand Us», Journal, junio-julio, pp. 41-44.
ROBBE, Lon de Vries: Texto con motivo de la exposición en la Fondation de Appel, Amsterdam, julio 2-13.
RICKEY, Carrie: «Advance to Rear Guard», The Village Voice, 27 agosto, p. 66.
RICKEY, Carrie: «Naive Nouveau and its Malcontents», Flash Art, verano, pp. 36-39.
TATRANSKY, Valentin: «Illustration and Allegory», Arts Magazine, septiembre, p. 4.
PHILLIPS, Deborah: «Illustration and Allegory», Arts Magazine, septiembre, p. 25.
YOSKOWITZ, Robert: «Group Show», Arts Magazine, septiembre, p. 30.
PINCUS-WITTEN, Robert: «Entries: If Even in Fractions», Arts Magazine, septiembre, p. 119.
WOHLFERT, Lee: «Young Artists New Workers Are Talking About», Town and Country, septiembre, pp. 199-207. (ilus: «Always Render Explicit», B/N).
SIMON, John: «Double Takes», Art in America, octubre, pp. 113-117.
HESS, Elizabeth: «Barefoot Girls with Cheek Glass», Village Voice, 19-25 noviembre, p. 93.
ISAACS, Florence: «New Artists for the '80's», Prime Time, noviembre, TOMPKINS, Calvin, «The Art World», The New Yorker, 22 diciembre, pp. 78-80.
1980 1981 SALLE, David: Cover Magazine, invierno, pp. 52-53.
1981 SMITH, Roberta: «Separation Anxieties», Village Voice, 18 marzo, p. 78.
OLANDER, William: «Young Americans», Dialogue, marzo-abril, pp. 42-44 (ilus: «Rainy Night in Rubber City», B/N).
LAWSON, Thomas: «Switching Channels», Flash Art, marzo-abril, pp. 20-22.
ZANETTI, Paolo Serra: «New York-New Work», Meta, marzo-abril.
KNOX, Marion: «Letter form New York», Transatlantic, 4 abril, pp. 70-73.
CHRISTY, George: «The Great Life», The Hollywood Reporter, 24 abril.
WILSON, William: «David Salle», Los Angeles Times, 24 abril, p. 9. part. 6.
DROHOJOWSKA, Hunter: «Pick of the Week», Los Angeles Weekly, 24-30 abril.
SIEGEL, Jeanne: «David Salle: Interpretation of Image», Arts Magazine, abril, pp. 94-95.
SMITH, Roberta: «Biennial Blues», Art in America, abril, pp. 92-101.
KNIGHT, Christopher: «The Medium Cool Art of David Salle», Los Angeles Herald Examiner, 3 mayo, p. E6. (Ilus.: «Savagery and Misrepresentation», B/N).
COLLINS, Dan y Hicks, Emily: «Meaning through Disparity», Artweek, 9 mayo, p. 3. (Ilus.: «Savagery and Misrepresentation», B/N).

PINCUS-WITTEN, Robert: «Entries: Sheer Grunge», *Arts Magazine,* mayo, pp. 93-97. (Ilus.: «Archer's House», B/N).

LAWSON, Thomas: «David Salle at Mary Boone», *Artforum,* mayo, pp. 71-72. (Ilus.: «Long Intervals of Time and Years», B/N).

KIEFER, Geraldine Wojino: «This is Where I Live», *Northern Ohio Live,* mayo, pp. 8-9.

MEYER, Ruth K.: «Young Americans: Wish Fulfillment», *Dialogue,* mayo-junio, pp. 6-9.

MARZORATI, Gerald: «Art Picks: Salle/Schnabel», *The Soho News,* 24 junio, p. 36.

McCLELLAND, Elizabeth: «Rhetoric Beefs Up 'Young Americans'», *New Art Examiner,* junio, p. 5.

RICARD, René: «Not About Julian Schnabel», *Artforum,* verano, pp. 74-80. Staff, *Museum Journal,* No. 3. (Portada: «We'll Shake the Bag», C).

RATCLIFF, Carter: «Westkunst: David Salle», *Flash Art,* verano, pp. 33-34.

LEVINE, Sherrie: «David Salle», *Flashart,* verano, p. 34.

SALLE, David: «Post-Modernism», *Real Life,* verano, pp. 4-10.

ZIMMER, William: «Art Picks: Andy Warthol», *The Soho News,* 30 septiembre, p. 28.

MARZORATI, Gerald: «Art Picks», *The Soho News,* 30 septiembre, p. 30.

ZIMMER, William: «Dark Continents», *The Soho News,* 30 septiembre, p. 78.

YOSKOWITZ, Robert: «David Salle», *Arts Magazine,* septiembre, p. 31.

ARMSTRONG, Richard: «Cologne: Heute», *Artforum,* septiembre, pp. 83-86.

TRUCCO, Terry: «Sensations of the Year», *Portfolio Magazine,* septiembre-octubre, pp. 42-47.

ANDERSON, Alexandra: «Schnabel's Sally», *Portfolio Magazine,* septiembre-octubre, p. 6.

SCHJELDAHL, Peter: «David Salle Interview», *Journal,* septiembre-octubre, pp. 15-21.

LAWSON, Thomas: «Last Exit: Painting», *Artforum,* 30 octubre, pp. 40-47.

HAMMOND, Pamela: «David Salle at Larry Gagosian», *Images and Issues,* otoño, pp. 60-61.

LAWSON, Thomas: «Too Good to be True», *Real Life,* otoño, pp. 3-7.

SALLE, David: «David Salle», *File Magazine,* vol. 5, No. 2.

FRUEH, Joanna: «Young Americans at the Allen Memorial Art Museum», *Art in America,* octubre, p. 151.

OLIVA, Achille Bonito: «The International Trans-Avantgarde», *Flash Art,* octubre-noviembre, pp. 36-43.

DEITCH, Jeffrey: «Who Has the Power?», *Flash Art,* octubre-noviembre, pp. 46-47.

HOWELL, George: «Artists Take Up the Human Form», *Buffalo Evening News,* 15 noviembre.

BANNON, Anthony: «'Figures' Is Bold and Bright», *Buffalo Evening News,* 25 noviembre, p. B-8.

MARMER, Nancy: «Isms on the Rhine», *Art in America,* noviembre, pp. 112-113.

PLAGENS, Peter: «The Academy of the Bad», *Art in America,* noviembre, pp. 11-17 (Ilus: «Bold New Thesis», B/N., p. 11).

RATCLIFF, Carter: «European Imports», *Ambassador,* noviembre, pp. 53-54.

ANDSERSON, Ali: «Around the Block: Avarice and Arrivistes in Soho», *Art and Auction,* noviembre, pp. 12-14.

TOMKINS, Calvin: «The Art World: An End to Chauvinism», *The New Yorker,* 7 diciembre, pp. 146-154.

LEVIN, Kim: «Rhine Wine», *Village Voice,* 16-22 diciembre, pp. 126-127.

PERRAULT, John: «Time Running Out for Spaces», *Soho News,* 22 diciembre, p. 60.

DIACONO, Mario: «Man with a Camera», diciembre.

SCHJELDAHL, Peter: «Absent Minded Female Nude on Bed (For David Salle)», *Artforum,* diciembre, p. 49.

GINTZ, Claude: «Une saison à New York», *Artistes,* invierno, pp. 27-35. (Ilus: «Calling Rather than a Career», B/N).

BROOKS, Rosetta: «The Art Machine: Editorial», *ZG Magazine,* No 3, pp. 1-2.

1982 CAROLI, Flavio: «Magico Primario», Gruppo Editoriale Fabbri, 1982.

OLIVA, Achille Bonito: *Avanguardia Transavanguardia,* Electa, Milán.

OWENS, Craig: «Back to the Studio», *Art in America,* enero. pp. 99-107.

HAIME, Nora: «Color, Versatilidad, y Figuración», *Harper's Bazaar,* enero, pp. 9-15.

HUNTER, Sam: «Post Modern Painting», *Portfolio Magazine,* enero-febrero, pp. 46-53.

PETERS, Lisa: «David Salle», *Print Collectors Newsletter,* enero-febrero , p. 182 (ilus: «Until Photographs Would be Taken from Earth Satellites», B/N).

RATCLIFF, Carter: «David Salle», *Interview,* febrero, pp. 64-66 (ilus: «Cut Out the Beggar», C).

RATCLIFF, Carter: «An Attack on Painting», *Saturday Review,* febrero.

DE COPPET, Laura: «Leo Castelli», *Interview,* febrero, pp. 60-62.

STAFF: «David Salle, New York 1981», *Domus,* febrero, p. 74.

BANGERT, Albrecht: «Neue Kunst oder nur eine Neue Masche?», *Ambiente,* febrero.

KONTOVA, Helena: «From Performance to Painting», *Flash Art,* febrero-marzo, pp. 21, 61.

RUSSELL, John: «Art: David Salle», *The New York Times,* 19 marzo, p. C24.

SCHJELDAHL, Peter: «David Salle's Objects of Disaffection», *Village Voice,* 23 marzo, p. 83.

SMITH, Roberta: «Mass Production», *Village Voice,* 23 marzo.

LARSEN, Kay: «David Salle», *New York Magazine,* 29 marzo.

PINCUS—WITTEN, Robert: «Gary Stephan: The Brief Against Matisse», *Arts Magazine,* marzo, p. 83.

PLAGENS, Peter: «Issues and Commentary: Mixed Doubles», *Art in America,* marzo, pp. 9-15.

WINTER, Simon Vaughan: «Rubbing our Noses in it», *The Art Magazine,* enero, pp. 2-5.

FOX, Catherine: «The Art of Equivocation», *The Atlanta Journal and Constitution,* 10 abril, p. 43.

MOUFARREGE, Nicholas: «The Eye of the Beholder», *New York Native,* 12 abril, pp. 32-33.

HADEN-GUEST, Anthony: «The New Queen of the Art Scene», *New York Magazine,* 6 abril, pp. 24-30.

CAROLI, Flavio: «Magico Primario», *Interarte 23,* abril, pp. 5-27.

PINCUS-WITTEN, Robert: «David Salle: Holiday Glassware», *Arts Magazine,* abril, pp. 58-60.

AGNESE, Maria Luisa y CARBONNE, Fabrizio: «Ve lo do io, Artista», *Panorama,* 22 mayo, pp. 138-145.

GLUECK, Grace: «Emoting Over the Figure», *The New York Times,* 30 mayo, pp. D27-30.

DIEHL, Carol: «Galleries: As Time Goes By», *Art and Auction,* mayo, pp. 30-37.

BREWSTER, Todd: «Boone Means Business», *Life Magazine,* mayo, pp. 30-37.

REED, Susan: «The Meteoric Rise of Mary Boone», *Saturday Review,* mayo, pp. 36-42.

KOSUTH, Joseph: «Portraits... Necrophilia Mon Amour», *Artforum,* mayo, pp. 59-65.

DEAK, Edit y CORTEZ, Diego: «Baby Talk», *Flash Art,* mayo, pp. 34-38.

NILSON, Lisbeth: «The Sorceress of Soho», *Metropolitan Home,* junio, pp. 47-52.

SALLE, David: «(Ilus. de la portada, C)», *The Paris Review,* primavera.

STEVENS, Mark: «The Revival of Realism», *Newsweek Magazine,* 7 junio, pp. 64-70.

TOMPKINS, Calvin: «The Art World», *The New Yorker,* 7 junio, pp. 120-125.

SMITH, Roberta: «Group Flex», The Village Voice, 22 junio, p. 106.

SCHJELDAHL, Peter: «South of the Border», *The Village Voice,* 29 junio, p. 51.

PALEY, Maggie: «Mary Boone: A Confident Vision», *Savy Magazine,* junio, pp. 62-67.

LIEBMANN, Lisa: «David Salle», *Artforum,* verano, pp. 89-90.

TUCKER, Marcia: «An Iconography of Recent Figurative Painting», *Artforum,* verano, pp. 70-75.

McGUIGAN, Kathleen: «Julian Schnabel», *Art News,* verano, pp. 88-94.

SECREST, Meryle: «Leo Castelli: Dealing in Myth», *Art News,* verano, pp. 66-72.

KUSPIT, Donald: «David Salle at Mary Boone and Castelli», *Art in America,* verano, p. 142.

OLIVA, Achille Bonito: «Avant Garde and Trans-Avantgarde», *Interarte 24,* junio, pp. 6-32.

PARKER, William: «Expressionism is Back in Fashion», *London Times,* 6 julio.

FEAVER, William: «A Bad Case of Hype» *Observer Review/Arts,* 11 julio, p. 30.

RUSSELL, John: «In the Arts: Critics' Choices», *The New York Times,* 11 julio, p. G3.

DOHERTY, M. Stephen: «Hype Returns to the Art World», *American Artist,* julio, p. 6.

KALIL, Susie: «Americans: The Collage», *The Houston Post,* 18 julio, p. 16AA.

SCHJELDAHL, Peter: «King Curator», *The Village Voice,* 20 julio, p. 73.

UNGER, Graig: «Attitude», *New York Magazine,* 26 julio, pp. 24-32.

GOLDBERG, Roselee: «Post-TV Art», *Portfolio Magazine,* julio-agosto, pp. 76-79.

WALLACE, Joan y DONAHUE, Geralyn: «You Wish You Were Closer to You», *ZG Magazine,* No. 7.

CAROLI, Flavio: «I Mondiali del Giovani», *Arte,* agosto, pp. 35-41 (ilus: «Proust or Canada», C).

LOWE, Ron: «FWAM Exhibit Jolts Viewers into the '80's», *The Fort Worth Star Telegram,* 12 septiembre, pp. E1-2 (ilus: «Unexpectedly I Miss Cousin Jasper», p. 1 C).

MARVEL, Bill: «The Art of the '80's: A Return to Reality», *The Dallas Times Herald,* 15 septiembre, pp. F1-11.

KUNTER, Janet: «Voice from the 1980's Cutting Edge», *Dallas Morning News,* 15 septiembre, pp. C1-3.

KALIL, Susie: «American Collage Since 1950», *Artweek,* 18 septiembre, pp. 1-26.

PRICE, Katherine: «Arte USA», *Nuovi Argomenti,* septiembre, pp. 32-40 (ilus: «The Worst and Most General», C).

BANGERT, Albrecht: «Neue Kunst oder eine Neue Masche?», *Ambiente,* septiembre, pp. 15-16.

DEAK, Edit: «Stalling Art», *Artforum,* septiembre, pp. 71-75 (ilus: «The Happy Writers», B/N).

YOSKOWITZ, Robert: «David Salle at Mary Boone», *Arts Magazine,* septiembre, p. 34.

ROBINS, Corrine: «Ten Months of Rush Hour Figuration», *Arts Magazine,* septiembre, pp. 100-103 (ilus: «The Name Painting», B/N).

GENDEL, Milton: «Report From Venice», *Art in America,* septiembre, pp. 33-39.

REICHARD, Steven: «David Salle», *in Performance,* septiembre, p. 3 (ilus: «Seeing Sight», portada, C).

HAIME, Nora: «25 Años de Exito: Leo Castelli», *Bazar (I) en español,* Septiembre, pp. 78-106 (ilus: «Untitled», pp. 78-79, C).

ANDERSON, Alexandra: «Critic's Choice», *Portfolio,* septiembre, p. 57.

MAZORATI, Gerald: «Documenta 7», *Portfolio,* septiembre, pp. 92-95.

RATCLIFF, Carter: «David Salle's Aquatints», *Print Collector's Newsletter,* septiembre-octubre, pp. 123-126.

RATCLIFF, Carter: «A Season in New York», *Art International,* septiembre-octubre, pp. 54-60 (ilus: «Splinter Man», p. 54 B/N).

STAFF: «Der Zeitgeist weht durch den Palazzo», *Der Spiegel,* 11 octubre, pp. 241-244 (ilus: «Zeitgeist Painting 1», C).

SCHJELDAHL, Peter: «Clemente to Marden to Kiefer», *The Village Voice,* 12 octubre, p. 83.

GROSSKOPH, Annegret: «Bomben-stimmung '82», *Stern,* 14 octubre, pp. 187-203 (ilus: «Zeitgeist Painting 2», C).

SMITH, Roberta: «Everyman's Land», *The Village Voice,* 26 octubre, p. 98.

LARSEN, Kay: «L'art», *Vogue Paris,* octubre, pp. 342-348.

GREENSPAN, Stuart: «Americans Abroad», *Art and Auction,* octubre, pp. 36-43.

SILVERTHORNE, Jeannie: «The Pressure to Paint», *Artforum,* octubre, pp. 67-68.

KIRSHNER, Judit Russi: «74th American Exhibition», *Artforum,* octubre, pp. 74-75.

MOUFARREGE, Nicholas: «Lavender: On Homosexuality and Art», *Arts Magazine,* octubre, pp. 78-87.

FRACKMAN, Noel y KAUFMAN, Ruth: «Documenta 7: the Dialogue and a few Asides», *Arts Magazine,* octubre, pp. 67-74.

PONTI, Lisa: «Documenta 7», *Domus,* octubre, pp. 67-74.

WOLF, Deborah: «Mary Boone», *Avenue,* octubre, pp. 40-47 (ilus: «The Wild One», «The Blue Room», C).

OLSSO, Anna: «New York — Turu + Return», *Expressen,* 27 noviembre, p. 5.

COLACELLO, Bob: «Out», *Interview,* noviembre, pp. 93-94.

GREENSPAN, Stuart: «Plus c'est la même Chose», *Art and Auction,* noviembre, pp. 58-62.

KRAMER, Hilton: «Signs of Passion: The New Expressionism», *The New Criterion,* noviembre, pp. 40-45.

JOACHIMIDES, Christos: «Zeitgeist», *Flash Art,* noviembre, pp. 26-31.

GROOT, Paul: «David Salle», *Flash Art,* noviembre, pp. 69-70.

PONTI, Lisa: «Mary Boone and the Past and the Present and the Future», *Domus,* noviembre, pp. 72-73.

TORRI, Maria Grazia: «L'Aventura di Bonaventura», *Juliet,* noviembre 1982-enero 1983, pp. 8-9.

WINGENERTE, Ed: «David Salle der Werkelijkheid vertuoos samen», *De Telegraf,* 4 diciembre, p. T23.

RUSSELL, John: «A Big Berlin Show That Misses the Mark», *The New York Times,* 5 diciembre, p. C33.

STAFF: «Notities», *Buitenlust,* 9 diciembre.

VAN HOUTS, Catherine y KLASTER, Jan Bart: «Als Kunstenaar ben je alleen», *Buitenlust,* 11 diciembre.

SCHENKE, Menno: «Tentoonstelling van Schilder David Salle in Amsterdam», *Algmeen Dagblad,* 17 diciembre, p. 19.

SMITH, Roberta: «Didacticism, Material, Immaterial», *The Village Voice,* 21 diciembre, p. 113.

GELDZHALER, Henry: «Determining Aesthetic Values», *Interview,* diciembre, pp. 29-31.

RATCLIFF, Carter: «Expressionism Today: An Atist's Symposium», *Art in America,* diciembre, pp. 58-75.

CLARKE, John: «Up Against the Wall, Transavangarde», *Arts Magazine,* diciembre, pp. 76-81.

REYNOLDS, Anthony: «Zeitgeist», *Art Monthly,* diciembre, pp. 11-12.

LECCESE, Pasquale: «Zeitgeist», *Domus,* diciembre, pp. 70-74.

STAFF: «Galleries: David Salle», *Mode,* diciembre.

STAFF: «David Salle», *Justitia,* diciembre.

1983 GLUECK, Grace: «Artists Who Scavenge from the Media», *The New York Times,* 9 enero, pp. 29-30.

BRENSON, Michael: «New York Vs. Paris: Views of an Art Reporter», *The New York Times,* 16 enero, pp. 1, 36, Sección 2.

NECHVETAL, Joseph: «Epic Images and Contemporary History», *Real Life,* invierno, pp. 22-26 (ilus: «It Goes Without Saying That the Flour Sack Strikes the Rat Dead», B/N).

STRENKO, Michael: «What's an Artist to Do? A Short History of Postmodernism and Photography», *Afterimage,* enero, pp. 4-5.

BLAU, Douglas: «Kim MacConnel: David Salle», *Arts Magazine,* enero, pp. 62-63.

SAATCHI, Doris: «Zeitgeist: Wurst at its Best», *Art Monthly,* enero, pp. 12-15.

ALETRINO, David: «David Salle», *Tableau,* enero, p. 266.

ROBBINS, D. A.: «The Meaning of 'New' — the '70/80's Axis: An Interview with Diego Cortez», *Arts,* enero, pp. 166-121.

OWENS, Craig: «Honor, Power and Love of Women», *Art in America,* enero, pp. 7-13.

RATCLIFF, Carter: «The Short Life of the Sincere Stroke», *Art in America,* enero, pp. 73-13.

CRARY, Jonathan: «The Expressionist Image at Janis», *Art in America,* enero, pp. 119-120.

GROOT, Paul: «Further Opinions on Documenta 7», *Flash Art,* enero, pp. 24-25.

SMITH, Roberta: «Appropriation uber alles», *The Village Voice,* 11 enero, p. 73.

LEVIN, Kim: «Art: David Salle», *The Village Voice,* 16 febrero, Centerfold.

RAYNOR, Vivien: «Soho: Enough Space For Extremes of Style», *The New York Times,* 18 febrero, p. C24.

GREENSPAN, Stuart: «Leo Castelli», *Art and Auction,* febrero, pp. 62-64.

GREENSPAN, Stuart: «Donald Marron» *Art and Auction,* febrero, pp. 65-67.

GREENSPAN, Stuart: «Contemporary Art», *Art and Auction,* febrero, p. 69.

PINCUS-WITTEN, Robert: «Entries: Vaulting Ambition», *Arts Magazine,* febrero, pp. 70-75.

BEERE, W. A. L.: «David Salle mijns inziens», texto con motivo de la exposición en el Boymans-van Beuningen Museum, Rotterdam, 26 febrero-17 abril.

RATCLIFF, Carter: «David Salle and the New York School», texto con motivo de la exposición en el Boymans-van Beuningen Museum, Roterdam, 26 febrero-17 abril.

MORGAN, Stuart: «David Salle at Anthony d'Offay», *Artscribe,* febrero.

SMITH, Roberta: «Making Impressions», *The Village Voice,* 1 marzo, p. 79.

KING, Mary: «Salle Paintings», *St. Louis Post-Dispatch,* 9 marzo, p. D4.

FARBER, Julia: «Rotterdam Museum Shows David Salle», *International Herald Tribune,* 12 marzo, p. 11.

MOSS, Jacqueline: «David Salle and Roberta Smith on Art at Whitney Museum».

HUGHES, Robert: «Three from the Image Machine», *Time Magazine,* 14 marzo, pp. 83-84.

RICHARD, Paul: «Avant-Garde Airs», *The Washington Post,* 15 marzo, pp. C1-15.

ALLEN, Jane Adams: «American Art Takes Cynical Course at the Hirshhorn», *The Washington Times Magazine,* 15 marzo, pp. E4-5.

GLUECK, Grace: «Art: Big American Figure Drawings», *The New York Times,* 18 marzo, p. C-23.

RUBIN, Michael: «Salle's Paintings Show at Greenberg Gallery», *St. Louis Globe Democrat,* 19-20 marzo, p. 11-F.

MOSS, Jacqueline: «So Where Are the Women at the Whitney?», *The Greenwich Times,* 27 marzo, pp. D1-6.

GLUECK, Grace: «Two Biennials: One Looking East and the Other West», *The New York Times,* 27 marzo, pp. H35-36.

SCHJELDHAL, Peter: «Falling in Style», *Vanity Fair,* marzo, pp. 115, 254.

ROBERTS, John: «An Interview with David Salle», *Art Monthly,* marzo, pp. 3-7.

DIMITRIJEVIC, Nena: «David Salle», *Flash Art,* marzo, p. 66.

GLUECK, Grace: «One Man's Biennial Assembles 102 Artists», *The New York Times,* 15 abril, p. C-24.

ASHBERRY, John: «Biennials Bloom in the Spring», *Newsweek,* 18 abril, pp. 93-94.

LEVIN, Kim: «Double Takes», *The Village Voice,* 26 abril, pp. 91-108.

SMITH, Roberta: «Talking Consensus», *The Village Voice,* 26 abril, pp. 91-92.

WHOLFERT-WIHLBORG, Lee: «Europe's Exuberant New Wave Artists», *Town and Country,* abril, pp. 180-194.

SCHJELDAHL, Peter: «Up Against the Wall», *Vanity Fair,* abril, pp. 93T-162.

MOUFARREGE, Nicolas: «Intoxication: April 9 1983», *Arts Magazine,* abril, pp. 70-76 (ilus: «We'll Shake the Bag», B/N).

BRENSON, Michael: «Artists Grapple with New Realities», *The New York Times,* 15 mayo, pp. 1, 30, Sección 2.

STAFF: «Self Portraits», *New York Magazine,* 23 mayo, pp. 30-35.

NAYHAUSSE, Sabine Grafin: «Neue Kunst satt Tapetenwechsel», *Ambiente,* mayo, pp. 138-145.

VIDALI, Roberto: «L'Imbarazzante Clima Estetico di David Salle», *Juliet,* mayo, pp. 24-25.

FAWCETT, Anthony y WHITHERS, Jane: «Commercial Art», *The Face,* mayo, pp. 75-77 (ilus: «Before No Walk», B/N).

MOUFARREGE, Nicholas: «David Salle», *Flah Art,* mayo, p. 60.

HONNEF, Klaus: «Tagebuch einer Dienstreise», *Kunstforum,* mayo, pp. 32-123.

LIEBMANN, Lisa: «David Salle», *Artforum,* verano, p. 74 (ilus: «Zeitgeist Painting 1», «Zeitgeist Painting 4», B/N).

CAMERON, Dan: «Biennial Cycle», *Arts Magazine,* junio, pp. 64-66 (ilus: «Poverty is no Disgrace», p. 66. C).

STAFF, «Zeitgeist», *Art Vivant,* julio, pp. 19-78.

LOVELACE, Carey: «Painting For Dollars», *Harpers Magazine,* julio, pp. 66-70 (ilus: «Ugly Deaf Face», B/N).

PIOT, Christine: «Manet et Amérique», *Art Press,* julio-agosto, pp. 20-22.

WALKER, John: «David Salle's Exemplary Perversity», *Tension Magazine,* julio-agosto, pp. 14-17 (ilus: «The Wild Bunch», B/N; «Before No Walk», B/N; «To Count Steps With», B/N).

SMITH, Roberta: «Comics Stripped», *The Village Voice,* 23, pp. 94-100.

WINTOUR, Anna: «Painting the Town», *New York Times,* 29 agosto, pp. 53-75 (ilus: «The Life of a Shrug», (detalle) C.).

KRÜGER, Michael: «For myself and for David Salle», texto con motivo de la exposición en la Galería Ascan Crone, Hamburgo, 22 septiembre-22 octubre.

SCHWARTZ, Eugene: «Guerilla Tactics for Collectors in Today's Emerging Art Market», *Bottom Line,* 30 septiembre, pp. 9-10.

HEGEWISCH, Katharina: «Eine Besondere Art der Erotik, David Salle in Munchen und Hamburg», *Frankfurter Allgemeine Zeitung,* 18 octubre.

GLOZER, Laszlo: «Dialog mit den Ahnen, Zwei Ausstellungen in der Munchner Maximillianstrasse», *Suddeutsche Zeitung,* 26 octubre.

HUGHES, Robert: «There's no Geist Like Zeitgeist», *The New York Review of Books,* 27 octubre, pp. 63-68.

KIPPHOFF, Petra: «Hamburg: 'David Salle'», *Die Zeit,* 28 octubre.

ZIMMER, William: «'Before' and 'After' Look from the Coast», *The New York Times,* 30 octubre.

STAFF: «Schelman and Kluser stellt Picabia aus», *Munchner Abendzeitung,* octubre.

FORTE, Gabriella: «A colpi di Pennello: David Salle Sabotaggio d'Artista», *L'Uomo Vogue,* octubre, pp. 342-343.

LARSON, Kay: «How Should Artists be Educated», *Art News,* noviembre, pp. 85-91 (ilus: «We'll Shake The Bag», p. 89 C.).

STAFF: «Ein Potpourri der Stile: Francis Picabia und David Salle», *Munchner Theaterzeitung,* noviembre.

COHEN, Ronni: «The New Graphic Sensibility Transcends Media», *Print collectors Newsletter,* noviembre-diciembre, pp. 158-159 (ilus: «Unexpectedly I Miss Cousin Jasper», p. 159, B/N).

SCHULTZ, Sabine: «Back to the USA», *Die Kunst,* diciembre, pp. 827-834 (ilus: «Past», C.).

1984 STAFF: «Francis Picabia and David Salle», *Flash Art,* enero, p. 31 (ilus: «Melancholy», B/N).

LARSON, Kay: «Art: Antidotes to Irony», *New York Magazine,* 27 febrero, pp. 58-59

GELDZHALER, Henry: «Guest Speaker: On Breaking the Rules», *Architectural Digest,* febrero, pp. 26-32 (ilus: «Zeitgeist Painting 22", C).

STAFF: «New Painting Phenomenon», *Brutus,* febrero, pp. 26-68 (ilus: «To Count Steps With», p. 53, C).

PINCUS-WITTEN, Robert: «I-Know-That-You-Know-That-I-Know», *Arts Magazine,* febrero, pp. 126-129 (ilus: «Tennyson», «B.A.M.F.V.», B/N).

RATCLIFF, Carter: «The Inscrutable Jasper Johns», *Vanity Fair,* febrero, pp. 61-65.

BRENSON, Michael: «Art: Variety of Forms for David Salle Imagery», *The New York Times,* 23 marzo, p. C—20 (ilus: «B.A.M.F.V.», B/N).

SCHJELDAHL, Peter: «Spain: The Structure of Ritual», *Vanity Fair,* marzo, pp. 58-67.

PINCUS-WITTEN, Robert: «Entries: Propaedeutica», *Arts Magazine,* marzo, pp. 94-96.

CAMERON, Dan: «Against Collaboration», *Arts Magazine,* marzo, pp. 83-87 (ilus: «Jump» B/N).

DIACONO, Mario: Texto con motivo de la exposición en la Galería Mario Diacono, Roma, abril.

SMITH, Roberta: «Quality is the Best Revenge», *The Village Voice,* 3 abril, p. 79.

LARSON, Kay: «The Low road to Soho», *New York Magazine,* 9 abril, pp. 68-69 (ilus: «What is the Reason for Your Visit to Germany?», C).

SCHWARTZ, Sanford: «David Salle: The Art World», *The New Yorker,* 30 abril, pp. 104-111.

NEMECZEK, Alfred: «Magnet New York», *Art,* mayo, p. 35 (ilus: «Zeitgeist Painting 2", C).

PONTI, Lisa: «Artist's Loft One: David Salle», *Domus,* junio, pp. 40-41 (ilus: «King Kong», C).

RAYNOR, Vivien: «Art: 3 Friends Who Share Attitudes and a Show», *The New York Times,* 20 julio, p. C-20.

GLUECK, Grace: «A Neo-Expressionist Survey That's Worth a Journey», *The New York Times,* 22 julio, pp. H 25, 28.

SOLWAY, Diane: «Entertainment in View», *M,* julio, pp. 155-157.

MARZORATI, Gerald: «The Artful Dodger», *Artnews,* verano, pp. 47-55, (ilus: «His Brain», C., p. 49; «Brother Animal», C., p. 50; «Tennyson», C., p. 51; «The Cruelty of the Father», C., p. 51; «Burning Bush», C., p. 52; «How Close the Ass of a Horse was to Actual Glue and Dog Food», B/N, p. 54).

KOHN, Michael: «David Salle», *Flash Art,* verano, p. 68 (ilus: «His Brain», B/N, p. 68).

BOURDON, David: «Uproar: Clutter and Clatter at the Modern», *Vogue,* agosto, p. 72.

LEVIN, Kim: «Form the Familiar to the Sublime», *The Village Voice,* 11 septiembre, p. 77.

ROBINSON, John: «Francesco Clemente/Bryan Hunt/David Salle», *Arts Magazine,* septiembre, p. 34.

SCHJELDAHL, Peter: «The Real Salle», *Art in America,* septiembre, pp. 180-187 (ilus: «What is the Reason for Your Visit to Germany?, C., pp. 180-181; «Brother Animal», B/N, p. 182; «Portrait of Michael Hurson», B/N, p. 182; «His Brain», C., p. 183; «The Face in the Column», B/N, p. 184; «B.A.M.F.V.», C., p. 185; «Tennyson», C., p. 186; «Midday», C., p. 187).

VILADAS, Pilar: «Free Association: Salle Loft, New York», *Progressive Architecture,* septiembre, pp. 120-123.

MILLET, Catherine: «L'Ingratitude de l'Art», *Art Press,* octubre, pp. 4-12 (ilus: «The Face in the Column», B/N, p. 7; «What is the reason for Your Visit to Germany?», B/N, pp. 10-11).

BRENSON, Michael: «Art: Julian Schnabel The Carnival Man», *The New York Times,* 9 noviembre, p. C24.

1985 BRENSON, Michael: «Human Figure is Back in Unlikely Guises», *The New York Times,* 13 enero, Sección 2/1, p. 29.

FILLER, Martin: «Tribeca Textures», *House and Garden,* febrero, pp. 128-135 (ilus: «Brother Animal», C., p. 130).

BROOKS, Rosetta: «From the Night of Consumerism to the Dawn of Simulation», *Artforum,* febrero, pp. 76-81 (ilus: «What is the reason for Your Visit to Germany?», C., p. 77).

PINCUS-WITTEN, Robert: «Entries: Analytical Pubism», *Arts Magazine,* febrero, p. 85 (ilus: «What is the reason for Your Visit to Germany?», B/N, p. 85).

RICHARD, Nelly: «Notes Towards a (Critical) Re-Evaluation of the Critique of the Avant-Garde», *Art and Text,* verano 1984/1985, pp. 15-19 (ilus: «King Kong», p. 19, B/N).

McGUIGAN, Kathleen: «New Art, New Money. The Marketing of an American Artist», *The New York Times Magazine,* 10 febrero, pp. 20-35 (ilus: «Miner», p. 22, C).

MILLET, Catherine: «La Peinture que le regard disperse», *Art Press,* febrero, pp. 18-21 (ilus: «Midday», p. 18; «A Minute», p. 19; «The Blood Traffic», p. 20; «His Brain», p. 21, B/N).

RUSSELL, John: «Whitney Presents its Biennial Exhibition», *The New York Times,* 22 marzo, p. C-23.

STAFF: «The Top 100 American Collectors», *Art and Antiques,* marzo, p. 45.

TAZY, Nadia: «Eloge de L'Ambigüité», *L'Autre Journal,* marzo, p. 51-52 (ilus: «Brother Animal», p. 5; «His Brain», p. 51, C).

VENANT, Elizabeth: «Rebel Expressions», *Los Angeles Times Calendar,* 28 abril, pp. 4-7 (ilus: «Pauper», p. 6, B/N).

SMITH, Roberta: «Endless Meaning at the Hirshhorn», *Artforum,* abril, pp. 81-85.

HAWKES, John: «An offering to David Salle», texto con motivo de la exposición en la Galería Mary Boone, Nueva York, 27 abril-25 mayo.

BRENSON Michael: «Art: David Salle Show at Mary Boone Gallery», *The New York Times,* 3 mayo, p. C-25 (ilus: «Miner», p. C-25, B/N).

SALLE, David: «Gemini G.E.L.: Art and Collaboration», *Artforum,* marzo, p. 3.

STANISZEWSKI, Mary Anne: «Corporate Culture/Gallery Guide», *Manhattan, Inc.,* mayo, pp. 136-137 (ilus: «Miner», p. 137. C).

LARSON, Kay: «The Daring of David Salle», *New York Magazine,* 20 mayo, p. 98 (ilus: «Miner», p. 98, C).

McGILL, Douglas: «Artist's Style Wins High Praise — and Rejection», *The New York Times,* 16 mayo, p. C-23.

LEVIN, Kim: «Artwalk — David Salle», *The Village Voice,* 28 mayo, p. 100 (ilus: «Muscular Paper», p. 100, B/N).

HONNEF, Klaus: «Nouvelle Biennale de Paris», *Kunstforum,* mayo-junio, pp. 216-232 (ilus: «His Brain», p. 230; «Portrait of Asher Edelman», p. 230, C.).

HUGHES, Robert: «Careerism and Hype Amidst the Image Haze», *Time Magazine,* 17 junio, pp. 78-83 (ilus: «Miner», p. 79, C).

LARSON, Kay: «Boontown Hype — and Real Quality», *New York Magazine,* 17 junio, pp. 46-47.

PERRONE, Jeff: «The Salon of 1985», *Arts Magazine,* verano, pp. 70-73 (ilus: «The Disappearance of the Booming Voice», p. 72, B/N).

MARZORATI, Gerald: «Picture Puzzles: The Whitney Biennial», *Art News,* verano, pp. 74-78 (ilus: B.A.M.F.V.», p. 75, C).

MILLET, Catherine: «David Salle», *Flash Art,* verano, pp. 30-34 (ilus: «Din», p. 30, C; «Making the Bed», p. 31, C; «A Minute», p. 32, C; «Muscular Paper», p. 33, C; «Poverty is no Disgrace», p. 33, C).

PINCUS-WITTEN, Robert: «Interview with David Salle», *Flash Art,* verano, pp. 35-36 (ilus: «My Head», p. 35, C.).

KOHN, Michael: «Whitney Biennial», *Flash Art,* verano, p. 54.

RUSSELL, John: «Modern Art Museums: The Surprise is Gone», *The New York Times,* 4 agosto. Sección 2, pp. 1, 25.

STEIN, Margery: «A Question of Taste», Smart Living, septiembre, pp. 19-22 (ilus: «The Bigger Credenza», p. 20. B/N).

MADOFF, Steven Henry: «What is Postmodern about Painting: The Scandinavian Lectures II», *Arts Magazine,* septiembre, pp. 116-121 (ilus: «A Collapsing Sheet», p. 118. C.).

GRIMES, Nancy: «New York Reviews, David Salle», *Arts News,* p. 133 (ilus: «Miner», p. 133. B/N).

ROSE, Barbara: «Art in Discoland», *Vogue,* septiembre, pp. 668-672, 747 (ilus: «Shower of Courage», p. 670. C.).

LIEBMANN, Lisa: «Wham! Slam! Thank You Bam», *Vogue,* p. 120.

CLARKE, John R.: «Circuses and Bread: Achille Bonito Oliva's Nuove Trame Dell'Arte at Genazzano», *Arts Magazine,* octubre, pp. 34-39.

MADOFF, Steven Henry: «What is Post Modern about Painting: The Scandinavian Lectures, II», *Arts Magazine,* octubre, pp. 59-64.

RATCLIFF, Carter: «Dramatis Personae, Part II: The Scherazade Tactic», *Art in America,* octubre, pp. 9-13.

MARSH, Georgia: «David Salle», *Bomb,* otoño, pp. 20-25 (ilus: «The Disappearance of the Booming Voice», p. 21, B/N. «Pauper», p. 23, B/N. «The Bigger Credenza», p. 25, B/N).

KUSPIT, Donald: «David Salle, Mary Boone Gallery», *Artforum,* noviembre, pp. 103-104 (ilus: «Muscular Paper», p. 103, B/N).

McCORMICK, Carlo: «Poptometry», *Artforum,* noviembre, pp. 87-91.

CAMERON, Dan: «The Salle Academy», *Arts Magazine,* noviembre, pp. 74-77. (ilus: «Gericault's Arm», p. 74, C. «Sleeping in the Corners», p. 74, C. «Fooling with Your Hair», p. 75, C. «Words Go Crying», p. 75, C.).

PINCUS-WITTEN, Robert: «An Interview with David Salle», *Arts Magazine,* noviembre, pp. 78-81. (ilus: «The Farewell Painting», p. 78, C, Cover, C. «Salt Banners», p. 79, C. «Low Cost Color Numbers», p. 80, B/N).

OLIVE, Kristan: «David Salle's Deconstructive Strategy», *Arts Magazine,* noviembre, pp. 82-85. (ilus: «Portrait of Asher Edelman», p. 82, B/N. «A Collapsing Sheet», p. 83, B/N. «What is the Reason for Your Visit to Germany», p. 84, B/N. «His Brain», p. 85, B/N).

FEINSTEIN, Roni: «David Salle's Art in 1985: Dead or Alive?», *Arts Magazine,* noviembre, pp. 86-88. (ilus: «Making the Bed», p. 86, B/N. «The Bigger Credenza», p. 86, B/N. «Shower of Courage», p. 87, B/N. «My Head», p. 87, B/N).

SCHJEDAHL, Peter: «David Salle», texto con motivo de la exposición en la Galería Michael Werner, Colonia.

STANISZEWSKI, Mary Anne: «Corporate Culture», *Manhattan Inc,* diciembre, p. 146. (ilus: «Delicately Emblematic Subdivision», p. 146, C. «The Farewell Painting», p. 146, C.).

BROMBERG, Craig: «The Crest of the Wave», *Vanity Fair,* diciembre, pp. 126-128.

ROCKWELL, John: «'Birth of a Poet', Avant-Garde», *The New York Times,* 5 diciembre, p. C. 17.

HUGHES, Robert: «Tracing the Underground Stream», *Time Magazine,* 23 diciembre, pp. 74-75.

1986 COHEN, Ronnie: «Cutting a New Figure», *Town and Country,* enero, pp. 163-164. (ilus: «Untitled»,p. 164, C.).

BRENSON, Michael: «Is Neo-Expressionism an Idea Whose Time has Passed?», *The New York Times,* 5 enero. Sección 2, pp. 1,12. (ilus: «B.A.M.F.V.», p. 12, B/N).

WETZSTEON, Ross: «Culture Czar», *The Village Voice,* 15 enero, pp. 21-26.

KAUFMANN, David: «The death of the Avant-Garde», *Saw,* 15 enero, p. 198.

LAWSON, Thomas: «Toward Another Laocoon or, the Snake Pit», *Artforum,* marzo, pp. 97-106. (ilus: «Miner», p. 104, C.).

SCHWARTZ, Sanford: «The Saatchi Collection, or a generation comes into focus», *The New Criterion,* marzo, pp. 22-37.

KASS, Ray: «Current Milestones», *Dialogue,* marzo/abril, pp. 17-19.

STANISZEWSKI, Mary Anne: «Gallery Guide», *Manhattan, Inc.,* abril, p. 164. (ilus: «Footmen», p. 164, C.).

DE SMECCHIA, Muni: «Gli Artisti nel Loro Studio: David Salle», *Vogue Italia,* febrero, pp. 296-301, 324. (ilus: «Coral Made», p. 298-299, C.).

RAYNOR, Vivien: «David Salle», *The New York Times,* 11 abril, p. C. 30.

TUCHMAN, Phyllis: «David Salle, Emerging as a Young Master», *New York Newsday,* 20 abril, Part II/p. 11. (ilus: «Dusting Powders», p. 11, B/N).

INDIANA, Gary: «Art: David Salle», *The Village Voice,* 29 abril, p. 74.

KUSPIT, Donald: «David Salle's Aesthetic of Discontent», *C. Magazine,* primavera, pp. 23-27. (ilus: «Muscular Paper», p. 23, B/N. «Poverty is no Disgrace», pp. 24-25, B/N. «The Disappearance of the Booming Voice», p. 27, B/N).

BRENSON, Michael: «Romanticism or Cynicism? Only Salle Knows», *The New York Times,* domingo, 27 abril, Sección 2 pp. 31-32. (ilus: «Footmen», p. 31, B/N).

DIACONO, Mario: Texto con motivo de la exposición en la Galería Mario Diacono, Boston, mayo.

INDIANA, Gary: «Apotheosis of the Non-Moment», *The Village Voice,* 6 mayo, pp. 91-91. (ilus: «Pastel», p. 91, B/N).

BUSCHE, Ernst. A: «David Salle: Arbeiten auf Papier», texto con motivo de la exposición en el Museum am Ost Wall, Dortmund, 29 junio-10 agosto.

RUBINSTEIN, Meyer Raphael y WIENER, Daniel: «David Salle», *Arts Magazine,* verano, p. 105. (ilus: «The Rafael», p. 105, B/N).

PARKS, Addison: «David Salle», *Arts Magazine,* verano, p. 116.

DIMITRIJEVIC, Nena: «Alice in Culturescape», *Flash Art,* verano, pp. 50-54. (ilus: «Schoolroom», p. 50, C.).

DURET-ROBERT, François: «Les Peintres d'Aujourd'hui dont on Parlera Demain», *Connaissance des Arts,* julio-agosto, pp. 42-53. (ilus: «Dusting Powders», p. 47, C.).

POLITI, Giancarlo: «David Salle», *Flashart Edition Française,* verano, pp. 12-17. (ilus: «Muscular Paper», p. 12, C. «A Minute», 13, C. «Making the Bed», p. 13, C. «The Cold Child» (for George Trow), p. 14, C. «Poverty is no Disgrace», p. 14, B/N. «My Head», p. 15, C. «His Brain», p. 16, B/N. «Din», p. 17, C.).

BRENSON, Michael: «Art: Modern Master, Ancient Treasures, and New Questions», *The New York Times,* 7 septiembre, pp. 43-44.

NEWHALL, Edith: «Art: Fall Preview», *New York Magazine,* 15, septiembre, pp. 64-78.

KARDON, Janet: «The Old, the New, and the Different», texto con motivo de la exposición en el Institute of Contemporary Art, University of Pennsylvania, Filadelfia, 9 octubre-30 noviembre.

PHILLIPS, Lisa: «His equivocal touch in the vicinity of history», texto con motivo de la exposición en el Institute of Contemporary Art, University of Pennsylvania, Filadelfia, 9 octubre-30 noviembre.

PINCUS-WITTEN, Robert: «David Salle: Sightations (From the Theater of the Deaf to the Gericault Paintings», *Arts Magazine*, octubre, pp. 40-44. (ilus: «Stereotropic», p. 40, B/N. «Colony», p. 43, C.).

STAFF: «Album: David Salle», *Arts Magazine*, octubre, pp. 114-115. (ilus: «Pastel», p. 114, B/N. «We'll Shake the Bag», p. 114, B/N. «View the Author Through Long Telescopes», p. 115, B/N. «Shower of Courage», p. 115, B/N).

JOHNSTON, Jill: «Dance: The Punk Princess and the Postmodern Prince», *Art in America*, octubre, pp. 23-25.

KOHN, Michael: «David Salle», *Flash Art*, octubre/noviembre, p. 72. (ilus: «The Train», p. 72, B/N).

HEARTNEY, Elinor: «New Editions: David Salle» *Arts News*, octubre, p. 101. (ilus: «Grandiose Synonym for Church», p. 100. C.).

STAFF: «An Artist for the Eighties», *The Pennsylvania Gazette*, octubre, pp. 43-45. (ilus: «King Kong», p. 43, C. «Brother Animal», p. 44, C. «Black Bra», p. 44, C. «Archers House», p. 45, C. «Tennyson», p. 45, C. «His Brian», p. 45, C.).

SILVERTHORNE, Jeanne: «David Salle», *Artforum*, noviembre, p. 133. (ilus: «Dusting Powders», p. 133, B/N).

KRAMER, Hilton: «The Salle Phenomenon», *Art and Antiques*, diciembre, pp. 97-99.

FERNANDES, Joyce: «Exposing a Phallocentric Discourse», *The New Art Examiner*, diciembre, pp. 32-34. (ilus: «His Brain», p. 32, B/N. «Timbre», p. 33. B/N).

STAFF: «Artsmart», *Harper's Bazaar*, enero, pp. 164-166. (ilus: «Pastel», p. 164, C.).

ROSENBLUM, Robert: «Notes on David Salle», del libro *David Salle*, ediciones Bischofberger.

CRONE, Rainer: «Impositions on meaning: the difference in painting», del libro *David Salle*, ediciones Bischofberger.

COOPER, Dennis: «To David Salle», del libro *David Salle*, ediciones Bischofberger.

1987 TAYLOR, Paul: «How David Dalle Mixes High Art and Trash», *The New York Times Magazine*, 11 enero, pp. 26-28, 39. (ilus: «Landscape with Two Nudes and Three Eyes», p. 26, C. «We'll Shake the Bag», p. 28, C. «Coral Made», p. 28, C.).

WALLACH, Amei: «David Salle, There's a Mystery in his Art», *New York Newsday*, 16 enero, Part III, pp. 1, 23. (ilus: «Footmen», p. 23, B/N. «Lost Barn Process», p. 23, B/N. «Shower of Courage», p. 23, B/N).

SMITH, Roberta: «Art: David Salle's Works Shown at the Whitney», *The New York Times*, 23 enero, p. C-20. (ilus: «Tennyson», p. C-20, B/N).

FLAM, Jack: «David Salle: Neither a Hoax or a Genius», *The Wall Street Journal*, 29 enero, p. 26.

LIEBMANN, Lisa: «Harlequinade for an Empty Room: On David Salle», *Artforum*, febrero, pp. 94-99. (ilus: «The Life of a Shrug», p. 94, C. «Leg», p. 95, C. «Schoolroom», p. 97, C. «Landscape with Two Nudes and Three Eyes», p. 98, C. «Backdrop from «The Birth of a Poet», p. 98, C. «Cut Out the Beggar», p. 98, C. Backdrop from «The Elizabethan Phrasing of the Late Albert Ayler», p. 99, C.).

STANISZEWSKI, Mary Anne: «Gallery Guide: Home Style», *Manhattan, Inc.*, febrero, p. 141. (ilus: «Brother Animal», p. 141, C.).

LEVIN, Kim: «The Salle Question», *The Village Voice*, 3 enero, pp. 81-82. (ilus: «Fooling with Your Hair», p. 81, B/N. «Brother Animal», p. 82, B/N. «Ugly Deaf Face», p. 82, B/N. «Black Bra», p. 82, B/N).

LARSON, Kay: «The Big Tease», *New York Magazine*, 9 febrero, pp. 58-59. (ilus: «Gericault's Arm», p. 58, C.).

HUGHES, Robert: «Random Bits from the Image Haze», *Time Magazine*, 9 febrero, pp. 67-68. (ilus: «Footmen», p. 67, C.).

SCHWABSKY, Barry: «David Salle», *Arts Magazine*, marzo, p. 107.

McGUIGAN, Kathleen: «Dipping into the Grab Bag of Pop Culture», *Newsweek*, 2 marzo, p. 77. (ilus: «Tennyson», p. 77, C. «Cut Out the Beggar», p. 77, C.).

DANTO, Arthur: «Art: David Salle», *The Nation*, 7 marzo, pp. 302-304.

REED, Julia: «To be Rich, Famous, and an Artist», U.S. *News and World Report*, 9 marzo, pp. 56-57.

GRIMES, Nancy: «Teasing Images, Hip Estrangement», *Art News*, abril, p. 173. (ilus: «Lost Barn Process», p. 173, B/N).

RUSSELL, John: «David Salle», *The New York Times*, 17 abril, p. C-22.

SMITH, Dinitia: «Art Fever», *New York Magazine*, 20 abril, pp. 34-43. (ilus: «Birthday Cake with One Eye», p. 38, C.).

AVGIKOS, Jan: «Pyrrhic Victory», *C. Magazine*, junio, pp. 32-33. (ilus: «Lost Barn Process», p. 33, B/N).

THOMSON, Richard: «The first artist of our fin-de-siècle», texto con motivo de la exposición en la Fruitmarket Gallery, Escocia, 8 agosto-20 septiembre.

COULSON, Crocker: «Too Much Too Soon?», *Art News*, septiembre, pp. 115-119.

PINCUS-WITTEN, Robert: «Entries: Karole Armitage and David Salle, Fates in Air», *Artscribe*, noviembre, pp. 47-49. (ilus: «Pewter Light», p. 1, C. «Colony», p. 48, C.).

GUEGAN, Stephane y CAROLINE Smulders: «David Salle», *Galeries Magazine*, diciembre, pp. 70-73, 123. (ilus: «Low Cost Color Numbers», p. 71, C. «Very Few Cars, p. 72, C. «Barking Salts», p. 73, C.).

1988 TUTEN, Frederic: «David Salle on native grounds», texto con motivo de la exposición en Mary Boone Gallery, Nueva York, 5 marzo-2 abril.

BRENSON, Michael: «David Salle and Rafael Ferrer: In Mainstream and Out», *The New York Times*, 18 marzo, p. C-29.

BELLER, Thomas: «David Salle», *7 Days*, 30 marzo, p. 56.

COTTINGHAM, Laura: «David Salle», *Flash Art*, mayo, p. 104, (ilus: «Sextant in Dogtown», p. 104, B/N).

STORR, Robert: «Salle's Gender Machine», *Art in America*, junio, pp. 24-25. (ilus: «Untitled», p. 25, B/N).

HEARTNEY, Eleanor: «David Salle: Impersonal Effects», *Art in America*, june, pp. 120-129, 175. (ilus: «Byron's Reference to Wellington», Portada, C. «Yellow Bread», p. 120, C. «Din», p. 122, C. «Melancholy», p. 123, C. «The Bigger Credenza», pp. 124-125, C. «The Cold Child» (for George Trow), p. 126, C. «My Head», p. 127, C. «Jar of Spirits», pp. 128-129, C. «Bold New Thesis», p. 175, B/N).

HEARTNEY, Eleanor: «David Salle at Mary Boone», *Art News*, junio, p. 176. (ilus: «Byron's Reference to Wellington», p. 176, B/N).

POWER, Kevin: «David Salle: Interpretándolo a mi modo», texto con motivo de la exposición en la Fundación Caja de Pensiones, Madrid, septiembre.

SCHULZ-HOFMANN, Carla: «David Salle: El triunfo de lo artificial, la sorpresa de lo cotidiano», texto con motivo de la exposición de la Fundación Caja de Pensiones, Madrid, septiembre-noviembre.